KB000217

BT
REPORT

국내외 가상현실 산업분석보고서
2022개정판

저자 비피기술거래 비피제이기술거래

Virtual
Reality

㈜ 비티타임즈

<제목 차례>

01

서론

1. 서론

[그림 1] 가상현실

가상현실(VR)은 대부분 평면디스플레이를 통해 구현되던 기존의 콘텐츠 시장에 큰 변화를 가지고 올 것으로 예상되는 혁신적 기술이다. 가상현실은 디지털콘텐츠가 성장하던 2003년 세컨드라이프 등의 서비스를 통해 주목되었으나, 하드웨어 등의 성능 한계로 현실감과 몰입감을 표현하지 못해 주력산업으로 부상하지 못했다.

많은 IT 기업들이 가상현실 투자를 철회하고 증강현실과 혼합현실 투자를 증가시키고 있다. 하지만, 최근 코로나19 사태가 장기화되면서 5세대(5G) 이동통신의 핵심 콘텐츠인 AR와 가상현실(VR) 시대 도래를 촉진할 것이란 전망이 나오고 있기 때문에 가상현실 시장도 증강현실과 함께 증가할 것으로 전망된다.

가상현실이 대중적으로 성공하기 위해서는 디바이스확산뿐만 아니라 핵심 콘텐츠, 소프트웨어 및 서비스 플랫폼, 고도화된 네트워크 등의 생태계 형성이 무엇보다 중요하다. 특히 가상현실 응용 사례가 게임, 영화, 테마파크와 같이 엔터테인먼트 시장에서 벗어나 교육, 헬스케어 등 다수의 산업으로 확대될 가능성이 커서 관련 시장의 확산에 따른 파급효과는 매우 클 것으로 예상된다.

본 보고서에서는 가상현실 기술의 개념과 특징에 대해 설명하고, 가상현실 기술동향, 가상현실 산업동향에 대해 설명하여, 향후 가상현실의 발전방향에 대해 기술하고자 한다. 또한 국내 가상현실 산업경쟁력 강화를 위한 정책시사점을 제시하였다. 개정판에서는 그 동안의 새로운 기술동향 및 시장동향에 대해서 업데이트하였다.

02

가상현실 개요

2. 가상현실 개요

가. 가상현실 정의

가상현실(Virtual Reality)이란 실제하고 있지 않은 환경을 사용자가 실제로 존재하는 것과 같은 경험을 제공해 줄 수 있는 기술이며, 현실과 유사한 환경을 가상현실 기수을 통해 구현하고 이것을 사용자가 상호작용하며 실제와 유사한 경험을 통해 몰입할 수 있는 가상의 공간을 의미한다. 즉 우리가 현실 상황이 아닌 가상현실 기술을 사용하여 만들어진 가상공간에서 현실과 같이 완전한 몰입이 이루어지는 공간을 의미한다. 컴퓨팅 기술을 기반으로 특정한 환경이나 상황을 만들어 그것을 사용하는 사람이 실제 주변 환경과 상호작용을 할 수 있는 것처럼 만들어주는 인간/컴퓨터 간 인터페이스이다.

넓은 의미에서, 현실 세계를 기반으로 가상을 더 하는 증강현실(Augmented Reality)과 가상세계를 기반으로 현실을 더하는 증강 가상(Augmented Virtuality)으로 구분하기도 한다. 최근에는 AR과 VR의 융합이 점점 더 강화됨에 따라 혼합 현실(Mixed Reality)이라는 용어가 널리 사용되고 있다.

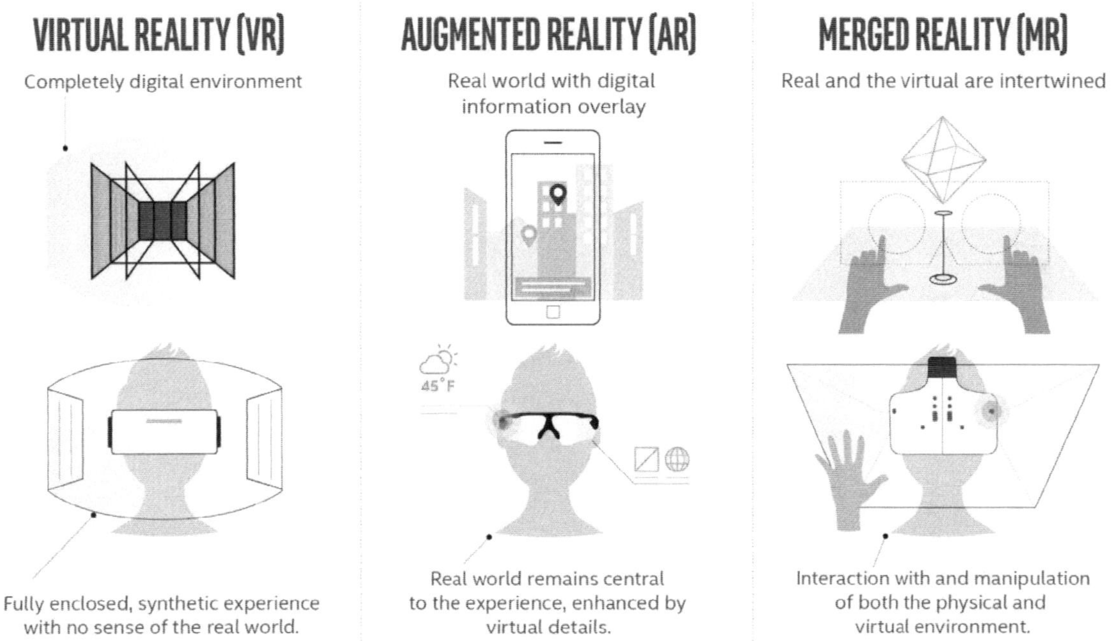

[그림 3] VR(가상현실), AR(증강현실), MR(융합현실) 비교 (출처 : APPLIED ART 홈페이지)

그리고 가상현실은 기술의 난이도, 성숙도, 시스템의 설치 및 운영방식, 몰입 등에 따라 몇 가지 유형으로 구분할 수 있다. 기술적 난이도는 낮고 기존의 컴퓨터 학습과 유사한 개념으로 데스크탑형 가상현실이라고도 불리는 비몰입형, 증가형이 있으며 기술적 난이도는 높지 않지만 프로젝터를 활용한 투사형, 원격 조작형, 증강형이 있으며 기술적 난이도가 높고 성숙도가 낮은 몰입형 가상현실이 있다. 제 3의 가상현실의 종류가 3가지 이상으로 나눠지만, 일반적으로 몰입형 가상현실, 데스크탑형 가상현실, 제3의 가상현실로 크게 구분할 수 있다.

가상현실은 현실을 기반으로 일부 가상의 콘텐츠를 제공하는 증강현실과는 달리 가상의 공간에서 시각·청각·촉각·미각·후각 등 감각정보를 활용하여 공간적, 물리적 제약 때문에 현실 세계에서 직접 경험하지 못하는 상황을 실감적으로 체험할 수 있는 현실적인 느낌을 제공한다.

또한 사용자는 가상현실에 단순히 몰입할 뿐만 아니라 장치를 이용하여 조작이나 명령을 수행함으로써 가상현실 속에서 상호작용이 가능하며 사용자의 경험을 창출한다는 점에서 상호작용이 일방적으로 구성되는 경우가 많고 그 목적이 극도로 분명한 시뮬레이션과는 구분된다.

나. 가상현실 원리[1)]

1) 첫 번째 이미지는 일반적인 사물을 바라볼 때의 현상을 보여주고 있다. 동공과 수정체를 거쳐 망막에 상이 매치게 된다.

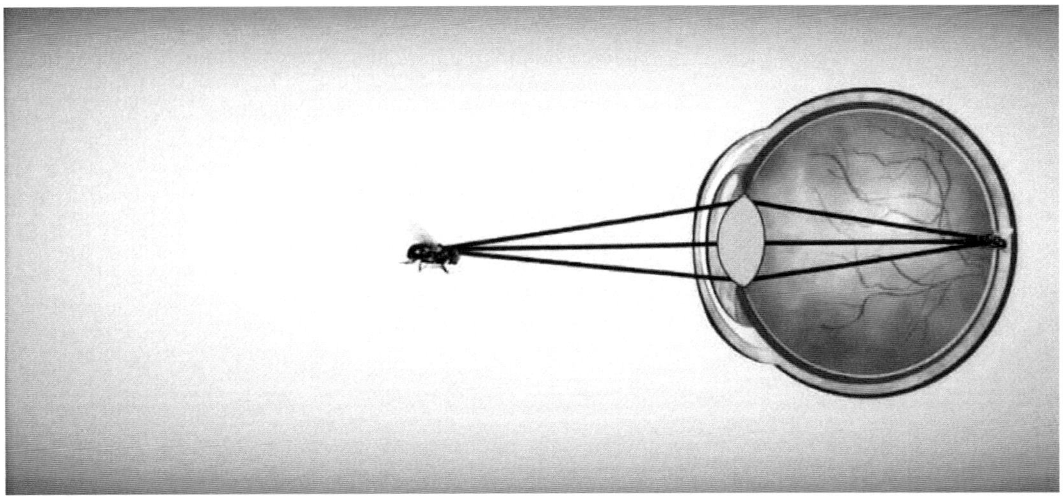

[그림 4] VR HMD 원리 1

2) VR HMD는 우리 바로 눈 앞 3 ~7cm 이내에 디스플레이 장치가 놓이게 된다. 대상 이미지가 사람의 눈에 너무 근접하게 되면 망에 초점이 정확히 매치게 되지 않는다.

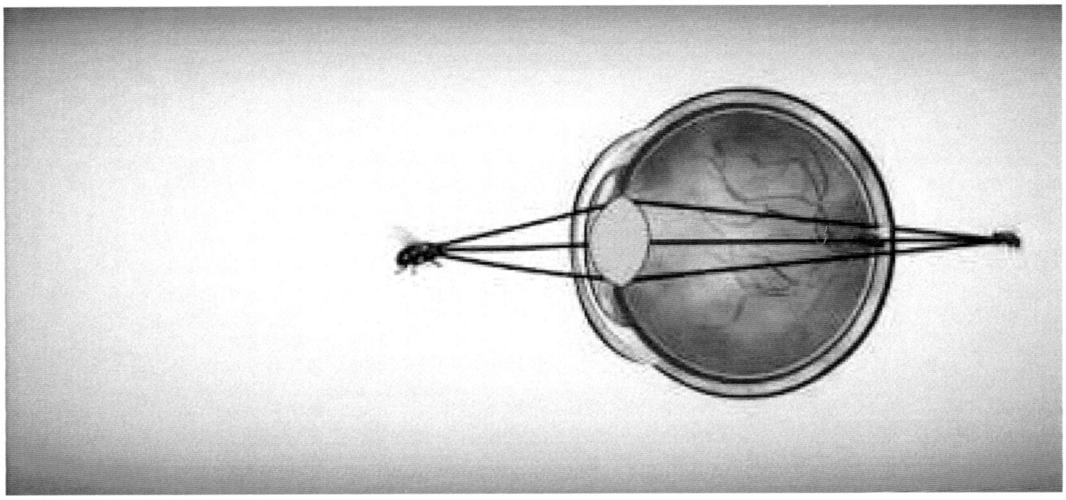

[그림 5] VR HMD 원리 2

1) 출처 : VR LENS LAB : How Lenses for Virtual Reality Headsets Work

3) 위에서처럼 잘못된 초점을 보정하기 위해 VR 기기 렌즈를 장착하게 된다. 장착된 렌즈는 근접한 거리의 이미지가 아래의 이미지처럼 망막 초점이 올바로 맺도록 보정해 주는 기능을 하는 것이다. 이러한 이유에서 VR HMD 기기들에 렌즈를 사용하게 되는 것이다.

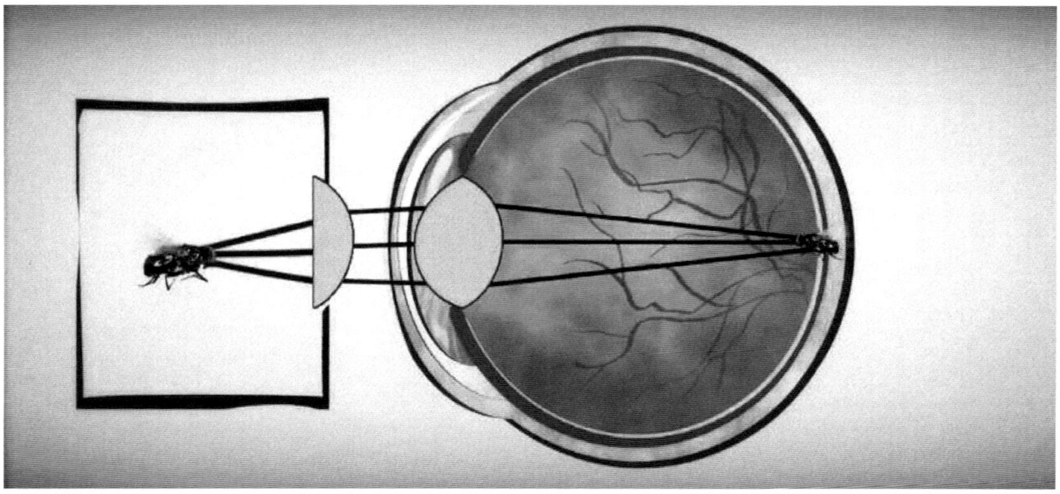

[그림 6] VR HMD 원리 3

4) 그런데 실제로는 바로 눈앞의 디스플레이 장치에서 나온 사물이 바로 눈앞에 있는 것처럼 보이는 것이 아니라 조금 멀리 현실 시야의 공간에 있는 것처럼 보이게 하기 위해서는 렌즈의 굴곡을 변화시켜야 한다. 그러면 아래의 그림처럼 눈앞의 HMD 안에 사물이 있는 것이 아니라 HMD 밖의 공간에 있는 것처럼 가상현실 내의 사물을 보이게 할 수 있는 것이다. 문제는 일반적인 1개의 볼록렌즈로 이를 해결 하다면 렌즈의 크기와 무게가 커지는 결과를 초래하게 된다.

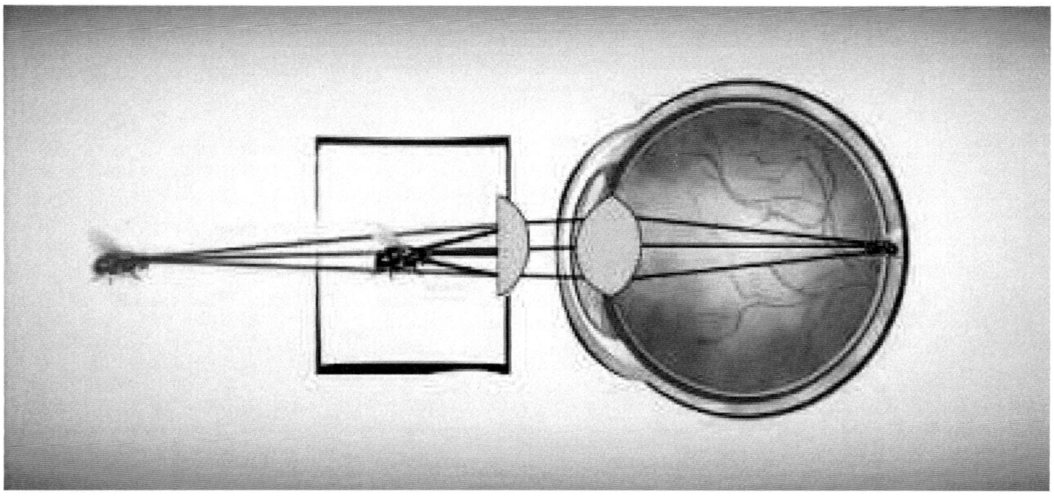

[그림 7] VR HMD 원리 4

5) 이러한 문제를 해결하기 위한 방법으로 프레넬이라는 사람이 개발한 프레넬 렌즈[2])를 장착하여 사용하게 되는 것이다.

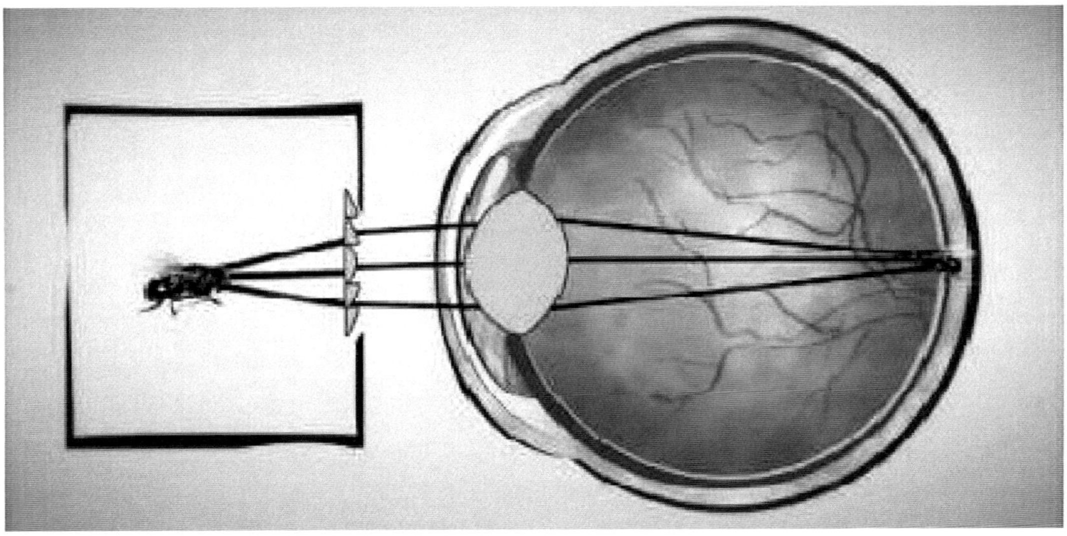

[그림 8] VR HMD 원리 5

6) 프레넬 렌즈는 아래의 그림과 같은 원리로 빛이 특정 초점에 보이도록 하는 것이다.

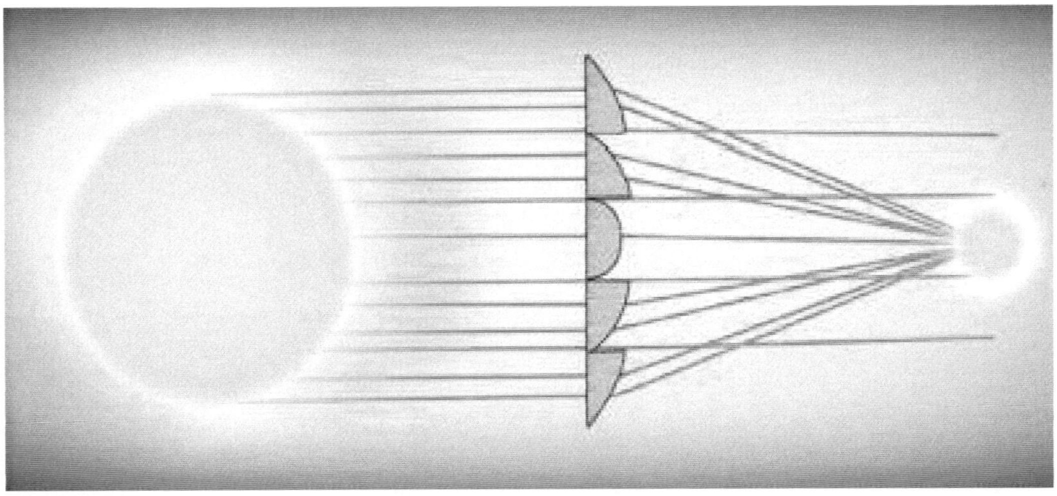

[그림 9] VR HMD 원리 6

2) 렌즈의 두께를 줄이기 위해서 수개 또는 여러 개의 동그라미띠 모양의 렌즈로 분할한 렌즈. 렌즈의 두께를 크게 하지 않고 구경이 큰 렌즈를 만들 수 있다. (출처 : 네이버 지식백과)

다. 가상현실 기술 요인[3)]

가상현실 기술의 실제적 분류를 위한 뚜렷한 글로벌 스탠다드는 존재 하지 않는다. 이는 관련 기술의 상대적으로 짧은 역사에 기인한다. 우선 가상현실과 관련해 한국과학기술평가원이 주장하는 통합 기술분류 체계에 기반해 본다면 크게 1) 디스플레이 기술, 2) 트랙킹 기술, 3) 랜더링 기술, 4)인터랙션 및 유저 인터페이스(UI) 기술로 구분해 볼 수 있다.

구분	내용
디스플레이 기술	몰입 콘텐츠를 사용자가 감각적으로 경험할 수 있도록 제공하는 표시장치 기술
트랙킹 기술	몰입 콘텐츠에서 사용자의 생체데이터(움직임)를 실시간으로 추적하는 기술
랜더링 기술	몰입 콘텐츠를 고해상도/고화질로 구현하는데 필요한 HW 및 SW 기술
인터랙션 및 UI 기술	몰입 콘텐츠를 지각, 인지, 조작, 입력할 수 있도록 돕는 상호작용 기술

[표 1] VR 통합 기술분류 체계

1) 디스플레이 기술[4)]

가상현실 기술을 구현하는 물리적 기반은 하드웨어로, 하드웨어는 크게 소비자가 착용하는 헤드셋 형태의 HMD, 컴퓨터(PC), 게임 콘솔, 모바일을 포함하는 호스트 시스템, 사용자/사물의 움직임을 추적하는 트랙킹 시스템, 신체의 움직임 등 외부 정보를 입력하는 컨트롤러 시스템 부문으로 분류할 수 있다. 가상현실 부문에서 상대적으로 중요도가 높은 하드웨어 기기는 HMD다. HMD 성능은 사용자 경험의 완성도 및 가상현실 산업 대중화를 결정짓는 요소로, 호스트 시스템 형태에 따라 스마트폰 용, PC 용, 콘솔 용 그리고 독립형(Standalone)으로 구분된다.

스마트폰 용 HMD는 별도 디스플레이가 필요없다는 장점과 함께 상대적으로 낮은 가격을 특징으로 대중화 초기 국면에서 친숙도를 높이는데 기여했지만 제한적인 성능으로 인한 한계가 뚜렷하다. 따라서 주요하게 논의되어야 할 HMD는 PC용, 콘솔용과 독립형 제품이라 볼 수 있다. 해상도 향상은 HMD 제조사의 제품 개선 방향 중 하나다. 제조사들은 현실세계에서 사람 눈을 통해 인지하는 수준을 하나의 기준점으로 삼고 있다. HMD용 디스플레이는 일반 디스플레이 대비 화면 상 픽셀이 도드라진다. 따라서 사용자가 이를 인지하지 못하는 해상도 수준 달성을 위해서는 8K OLED가 필요하다.

---

3) VR/AR, 비현실의 현실화, 삼성증권, 2019.07.12
4) 가상/증강현실 디바이스 기술 동향, TTA JOURNAL, 2019.09

호스트 시스템은 사용자가 가상현실 콘텐츠에 접속할 수 있게 도와주는 플랫폼으로 PC 뿐 아니라 콘솔 게임 기기, 모바일도 여기에 포함된다. 호스트 시스템은 일반적으로 고사양(그래픽카드, 메모리, 프로세서 등)을 요구하기 때문에 일정 수준 이상의 호스트 시스템을 갖추기 위한 비용 부담이 존재한다.

트랙킹 및 컨트롤러 시스템은 사용자의 모션을 추적 및 입력하는 기능을 담당한다. 최근 트랙킹 시스템은 기술발전에 따라 다른 하드웨어(HMD 및 호스트 시스템)에 접목되고 있는 추세이다. 해당 부문은 상대적으로 부수적인 느낌이 강하며, 절대적 가격 수준 또한 높지 않다.

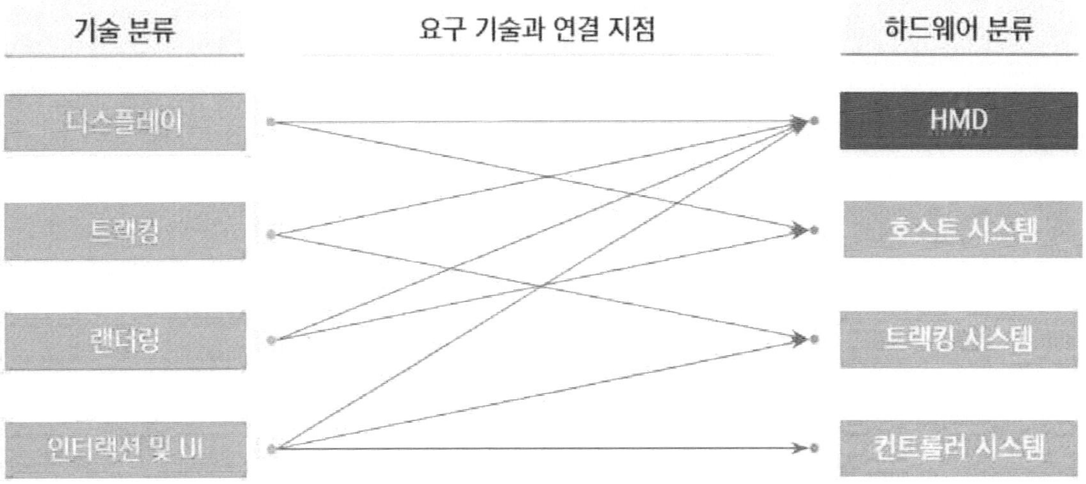

[그림 10] 기술 체계와 하드웨어 간 연결지점 분석을 통해 알아본 HMD의 중요성

가) 독립형 HMD 기술 현황

자체 프로세서 및 디스플레이를 탑재하는 독립형 무선 HMD의 경우는 스마트폰과 비슷한 사양의 디스플레이를 제공하고, ARM 아키텍처 계열의 프로세서를 이용하나, 불필요한 기능들을 제거하고, 추가적인 기능을 위한 센서를 장착하여 보다 가상현실에 최적화되어 있다.

상용 독립형 HMD들은 주로 안드로이드 계열의 운영체제를 탑재하여, 스마트폰에서 구동되는 가상현실 콘텐츠를 공유하여 구동할 수 있다. 그러나 전원이 내장된 배터리를 통하여 공급되기 때문에 사용시간에 제약이 있다는 단점이 있다.

메타로 사명을 변경한 페이스북은 프로세서, 인터페이스 및 디스플레이 장치가 일체화된 독립형 HMD인 Oculus Go를 2018년 5월에 출시했고, 이어서 2019년 5월에 해상도와 메모리를 업그레이드하여 Oculus Go에 비해 높은 가격대의 Oculus Quest를 출시했다. 이후 2020년 10월 Oculus Quest2를 발표했다.

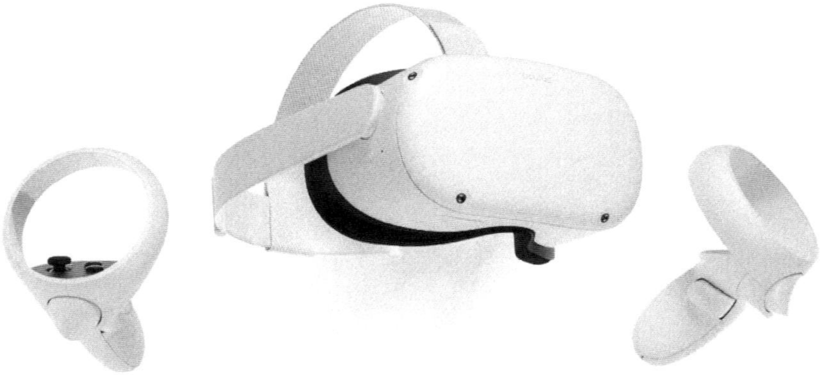

[그림 11] Oculus Quest2

Oculus Quest2는 전작보다 무게는 571g에서 503g으로 60g 줄었고 두께도 한결 슬림하게 나와서 착용감도 가벼워졌다. 화면은 OLED에서 고속 LCD로 전환했다. 또한, 퀄컴이 AR·VR용으로 개발한 스냅드래곤 XR2 프로세서를 장착했고, 해상도는 기존 1440 x 1660픽셀에서 1832 x 1920픽셀로 높아졌다. PC 기반의 VR 게임을 즐길 수 있는 오큘러스 링크도 지원한다.[5]

주로 유선형 HMD를 발표해 온 HTC 사는 독립형 HMD 모델로 VIVE Focus를 2018년 11월에 출시했다. 이후 지속적인 발전으로 통해 2021년 VIVE Focus3를 발표했다.오큘러스 퀘스트가 주로 일반 개인 사용자를 위한 제품으로 선보인 것과 달리, VIVE Focus3는 기업의 비즈니스 환경 및 B2B 시장을 위한 제품으로 선보인 것이 특징이다.

---

5) https://kr.imboldn.com/, 2020.09.16

VIVE Focus3의 최대 장점은 업계 최고 수준의 '화질'이다. 한쪽 눈 당 2448x2448픽셀의 디스플레이를 사용, 총 5K급에 달하는 4896x2448의 통합 해상도를 구현했다. 덕분에, 기존 VR/AR 헤드셋 제품들에서 누누이 언급되던 '모기장 현상(화면을 구성하는 액정 소자 간 격벽이 확대되어 모기장처럼 보이는 현상)'을 이 제품에서는 거의 느낄 수 없다.

기존 VIVE Focus 시리즈는 HTC가 자체적으로 운영하는 VR 앱 마켓 '바이브 포트(VIVE Port)'를 통해 앱을 내려받고 실행할 수 있었다. 반면, 이번 VIVE Focus3는 바이브 포트가 아닌, '바이브 비즈니스 앱스토어'라는 별도의 앱 마켓을 통해서만 앱을 내려받고 실행할 수 있다. 앱스토어 이름 역시 이 제품이 기업 및 상업 시설에서 사용하기 위한 제품임을 여실히 보여준다.6)

[그림 12] VIVE Focus3

2019년 6월 Pico사는 276g의 경량 독립형 HMD인 Pico G2 4K를 출시하였다. Pico G2 4K는 3840x2160 고해상도의 디스플레이를 지원하고, 렌즈를 개선해 눈부심 현상을 줄였다. KT는 구독형 가상현실 서비스인 KT 슈퍼 VR 서비스를 시작했는데, Pico G2 4K를 이용하여 서비스를 받도록 하고 있다.

6) [리뷰] 5K 화질 기업용 메타버스 VR헤드셋 '바이브 포커스3', IT조선, 2021.09.03

[그림 13] Pico G2 4K

나) 유선형 HMD 장치

유선 HMD 장치는 자체 프로세서를 가지고 있지 않기 때문에, PC 혹은 게임 콘솔 등에서 입체영상 생성을 위한 3D 연산 및 양안 영상 생성과정을 처리한 후 디스플레이 장치만 장착된 HMD 장치로 영상을 유선으로 전송하는 방식으로 가상현실 입체 콘텐츠가 구동된다.

이 경우 , HMD와 PC를 연결하는 선 때문에 HMD 착용 후에 움직임에 제약이 있으나, PC의 높은 연산 성능을 사용하기 때문에 현실감을 높이기 위하여 계산량이 많이 요구되는 장면의 생성이 가능하며, 전원을 유선으로 공급받기 때문에 사용시간에 제한이 없다는 장점이 있다.

HTC사는 2016년 4월 유선형 HMD인 VIVE VR을 출시한 데 이어 유선형 HMD 모델로 2018년 4월 VIVE Pro, 2019년 4월 VIVE Pro eye를 출시하였다. VIVE HMD는 기본적으로 라이트하우스 베이스 스테이션을 이용하여 헤드 트래킹 기능을 지원하고, VIVE Pro eye는 눈동자 트래킹 기능도 제공하고 있다. 이후 HTC는 2021년 VIVE Pro2를 발표했다.

VIVE Pro2는 기존 프로 모델과 비교해 거의 2배에 가까운 5K급 4896x2448 통합 해상도를 달성했다. 그 결과, VIVE Pro에서도 여전히 남아있던 모기장 현상을 거의 느낄 수 없을 정도로 매우 깨끗하고 선명한 VR 영상을 볼 수 있다. 향상된 것은 해상도뿐만 아니다. VR 화면의 시야각도 기존 110도에서 120도로 더욱 넓어졌고, 화면 주사율도 기존 90㎐에서 33% 이상 증가한 최대 120㎐로 향상됐다.[7)]

[그림 14] VIVE Pro 2

7) [리뷰] 5K 화질 VR 시대 여는 'HTC 바이브 프로2',IT조선, 2021.09.17

2) 인터랙션 장치 기술[8]

가) 입력장치

가상/증강현실 기반 실감 콘텐츠의 현실감을 높이기 위해서는 직관적인 실시간 인터랙션이 가능해야 하고, 이러한 인터랙션이 가능하기 위해서는 사용자의 손, 발, 시선의 움직임을 추적하고, 이들의 움직임을 입력신호로 처리할 수 있는 입력 장치들이 요구된다.

이러한 입력 장치들은 손의 움직임을 추적하는 핸드 트래커 장치, 가상현실에 적용할 수 있도록 변형된 게임 컨트롤러 장치, 발의 움직임을 추적할 수 있는 트레드밀 장치, 뇌피/시선 등 다른 신체 부분의 움 직임을 추적할 수 있는 장치로 구분할 수 있다.

① 핸드 트래커 장치

게임 컨트롤러(game controller)로는 입력할 수 없는 세밀한 손동작을 입력할 수 있는 장치로서 핸드 트래커 장치들이 있다. 핸드 트래커 장치는 몸에 착용하는 형태와 적외선 카메라 등을 이용하여 손가락의 움직임을 추적하는 비착용형 형태로 구분된다.

Senso Glove는 장갑 형태의 입력 장치로서 flex 센서를 이용하여 각 손가락마다 움직임을 파악하고, 내장된 자이로 센서를 이용하여 사용자의 손의 위치를 추정할 수 있는 장치로, 손가락마다 햅틱 장치가 달려 있어 즉각적인 햅틱 피드백을 전달한다.

[그림 15] Senso Glove

Myo는 팔찌 혹은 손목보호대 형태의 입력 장치로, 전완근에서의 전기 신호를 읽어 현재 사용자의 손 제스처를 인식하는 장치이다. 가상공간 내의 손의 위치를 추정하는 것이 아니라 정해진 제스처 유형을 분류하는 데 사용된다.

8) 가상/증강현실 디바이스 기술 동향, TTA JOURNAL, 2019.09

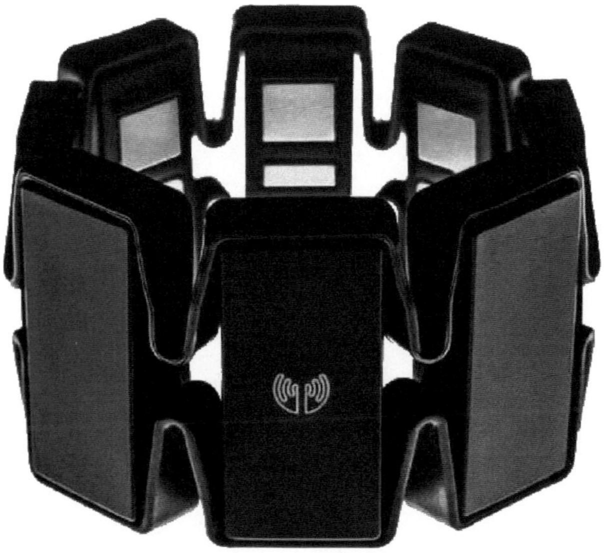

[그림 16] Myo

Leap Motion은 적외선 센서를 이용하여 손가락의 움직임을 인식한다. 일반적으로 시스템 모니터 앞에 고정하여 위치시키고, Leap Motion 위의 일정 공간에서 손가락을 움직이며 사용한다.

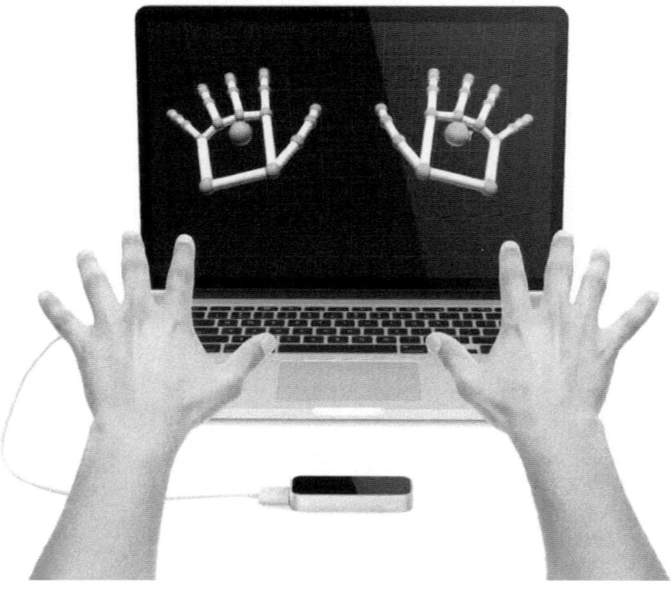

[그림 17] Leap Motion

② **가상현실 컨트롤러**

기존의 게임 컨트롤러를 가상환경에서 사용할 수 있는 형태로 변형한 장치들로써 일반적으로 가상현실 컨트롤러는 양손에 착용하는 한 쌍으로 구성되며 적외선 센서에 의해 트래킹된다.

Oculus Touch가 대표적인 가상현실 컨트롤러로서 손의 위치에 따라 상호작용할 수 있는 대상체를 선택하고, 컨트롤러의 다양한 버튼을 누름으로써 각 버튼에 해당하는 상호작용을 수행할 수 있다.

[그림 18] Oculus Touch

대부분의 유/무선 가상현실 HMD 장치와 같이 제공되는 컨트롤러는 형태는 다르나 유사한 기능들을 포함하고 있다.

HTC VIVE 컨트롤러는 터치패드와 트리거 버튼을 이용해 대상을 선택하고, 조작할 수 있는 형태로 제작되었다. HTC VIVE 컨트롤러는 Oculus Tfouch와 마찬가지로 HMD의 트래킹 기술을 공유하여 공간 내의 손의 위치를 추적한다.

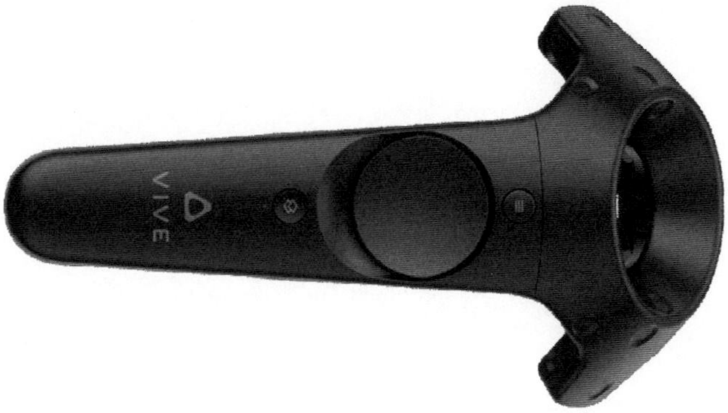

[그림 19] HTC VIVE 컨트롤러

구글 Daydream 컨트롤러는 터치패드와 버튼을 이용한 조작을 수행하고, 내장된 3 축 자이로 센서를 이용하여 손의 움직임을 추정한다.

[그림 20] 구글 Daydream 컨트롤러

③ 트레드밀 장치

트레드밀(treadmill)은 전용 신발을 착용하고 전용 지지대 위에 올라가서 걷거나 뛰는 동작을 통하여 사용자의 움직임을 입력하는 장치이다.

Virtuix Omni는 발을 이용한 가상현실 입력 장치의 선구자이다. 신발 밑창에 있는 롤러의 움직임을 통하여 사용자의 움직임 정도와 방향이 인식된다.

[그림 21] Virtuix Omni

Virtuix Omni에서는 허리의 지지대 때문에 앉는 동작에 제약이 있었으나 KAT Walk Mini 제품에서는 플레이어를 기준으로 등쪽에만 지지대가 설치되어 있어 앉기 동작이 가능해졌다. 그러나 KAT Walk Mini에서도 눕기 동작은 수행할 수 없다.

[그림 22] KAT Walk Mini

Cyberith Virtualizer는 허리 지지대의 높이가 자유롭기 때문에 사용자가 앉거나 서서 사용할 수 있다. Virtuix Omni의 경우 전용 신발이 있어야만 이용이 가능했으나, Cyberith Virtualizer의 경우 전용 신발이 필요하지 않으며 일반 신발 혹은 맨발로도 이용 할 수 있다는 장점이 있다.

[그림 23] Cyberith Virtualizer

④ 뇌파/시선/신체부위 추적 입력장치

손과 발이 아닌 기타 신체 부위를 이용한 가상현실 입력 장치들이 소개되고 있다. Neurable은 VIVE VR HMD의 스트랩에 부착하는 BCI(Brain-Computer Interface) 장치이다. Neurable은 디바이스에 장착된 EEG 센서를 통해 사용자의 뇌파신호를 감지하고, 이를 이용하여 사용자가 찾고자 하는 요소를 검색하거나, 특정한 요소를 선택하는 등의 동작을 수행할 수 있다.

[그림 24] Neurable

Fove VR은 홍채 움직임을 추적하는 가상현실 HMD이다. Fove 내부에는 복수의 적외선 센서가 탑재되어 양안의 홍채 위치와 방향을 추적하여 시선벡터를 구할 수 있다. Fove VR 장치를 이용하면 안구의 움직임을 통해 상호작용을 수행할 대상을 선택하고, 해당 대상을 기준 초 이상 바라보면 응시(gaze) 동작으로 인식하고, 응시 동작을 통해 가상현실 상의 물체와 상호작용을 수행할 수 있다.

Fove의 경우 사용자마다 눈의 위치와 특성이 다르므로 초기 사용 이전에 사용자별 초기화 단계를 거친다. Vive Pro Eye도 사용자의 시선 추적 기능을 포함한 가상현실 HMD로 출시되었다.

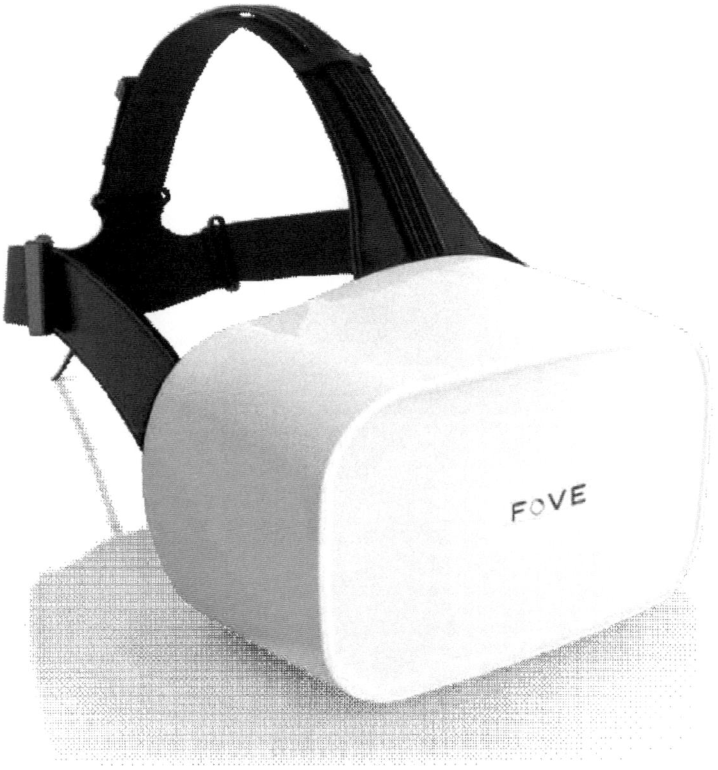

[그림 25] Fove

[그림 26] Vive Pro Eye

나) 다중 감각 출력장치

다중 감각 출력장치는 영상 정보, 햅틱 모터에 의한 촉각 정보에 추가적으로 후각이나 온도, 습도 등 의 정보를 사용자에게 제공하는 장치이다. 대부분의 다중 감각 장치들은 공통적으로 카트리지를 이용한 냄새를 발산하는 장치를 포함하고 있다. 그러나 제한된 카트리지를 장착하여 작동하기 때문에 한 번에 제한된 수 이상의 냄새를 발산할 수는 없다.

VAQSO VR은 가상현실 VR HMD에서 표현할 수 없는 냄새를 제공한다. VAQSO VR에는 한 번에 최대 5개까지 냄새 카트리지를 삽입하여 이용할 수 있고, 현재 상용화된 대부분의 HMD의 아래에 벨크로를 이용하여 부착하여 사용한다. VAQSO의 작동 원리는 VAQSO VR에서 제공하는 API가 호출될 때 카트리지의 구멍을 열어 냄새를 방출하는 형태로 이루어진다.

[그림 27] VAQSO

FeelReal VR Mask는 여러 복합적인 감각을 자극할 수 있는 가상현실 마스크이다. 쿨러를 이용한 바람과 차가움, 진동 모터를 이용한 촉각, 화약, 바다, 꽃을 포함한 9개 종류의 냄새 카트리지를 이용한 후각 히터를 이용한 열 초음파를 이용한 조절된 습도를 제공한다. 또한 마이크가 내장되어 있어 외부와의 소통이 가능하다.

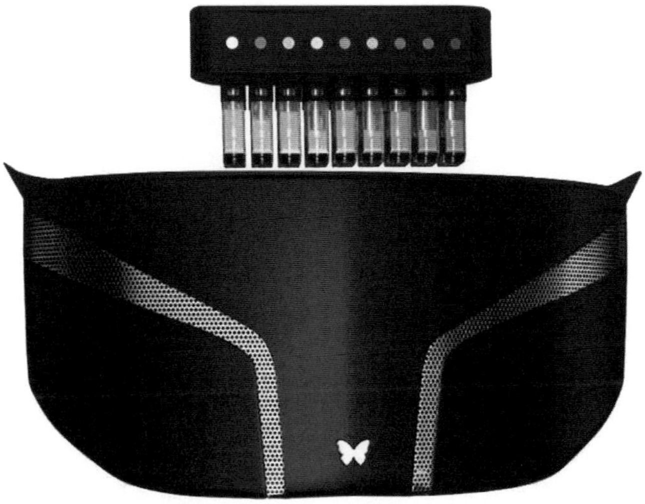

[그림 28] FeelReal VR Mask

Nirvana VR은 FeelReal VR Mask와 동일한 하드웨어 구성을 지니나, 얼굴 전체에 복합적인 자극을 줄 수 있다. FeelReal VR Mask의 경우 기존의 가상현실 HMD 장치를 별도로 요구하지만, Nirvana VR은 스마트폰을 장착할 수 있는 형태로 구성되어 있다.

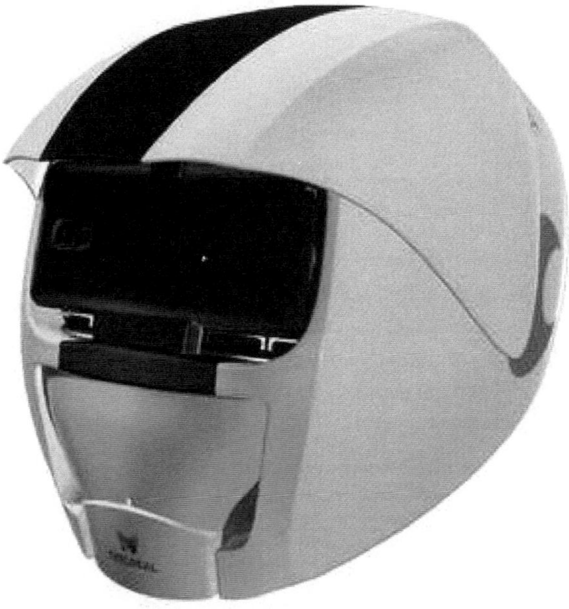

[그림 29] Nirvana VR

라. 가상현실 시장 플랫폼

가상현실 시장이 대중적으로 확신되기 위해서는 균형적인 생태계 육성이 무엇보다 중요하다. 따라서 본고에서는 가상현실 생태계를 아래 그림과 같이 C(콘텐츠) - P(플랫폼) - N(네트워크) - D(디바이스)를 중심으로 살펴보고자 한다.

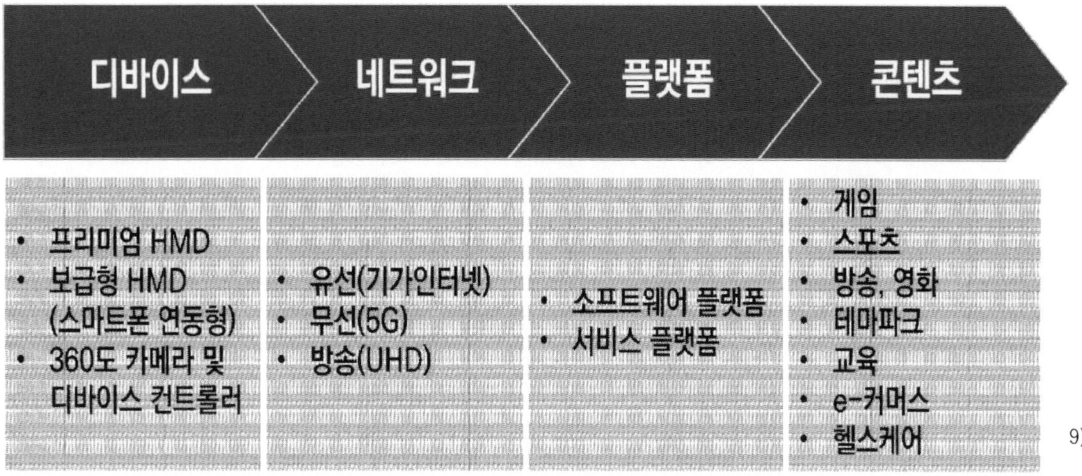

9)

[그림 30] 가상현실 CPND 생태계

① 콘텐츠

콘텐츠 시장은 향후 엔터테인먼트 부분을 위주로 빠르게 성장할 것으로 기대된다. 가상현실 콘텐츠는 게임 등 일부 부문을 제외하고 아직까지 주목할만한 결과를 내지 못하고 있으나, 디바이스 보급률이 일정 수준을 넘는 시기부터 콘텐츠 투자가 본격화되면서 장기 성장이 기대되기 시작할 것이다. 따라서, 게임콘텐츠 개발에 강한 한국의 중소기업들의 시장 진입 및 기반 마련의 토대로 지속적 관심이 필요하다.

가상현실 콘텐츠 시장은 2017년 5억 달러에서 2020년 245억 달러로 성장하여, 2020년에는 디바이스 시장을 넘어설 것으로 전망하고 있다. 가상현실 콘텐츠는 주로 게임, 교육을 중심으로 성장할 것이다.

② 플랫폼 부분

플랫폼 부문은 아직 디바이스 제조사, 콘텐츠 개발업체 등 일부 글로벌 기업의 사업 진풀이 이뤄지는 초기 단계 시장으로, 가상현실 디바이스 제조사 및 게임업체, 검색 엔진 등 기업들의 플랫폼 사업 진출이 이루어지고 있다.

주요 기업 중에는 MS(홀로렌즈), 구글(Tango)이 가상현실 디바이스, 콘텐츠, 개발을 위한 SW 플랫폼을 구축, 운영 중이다. 현재로서는 선두 주자인 오큘러스와 게임산업 강장인 소니가 경쟁 우위를 보유하나 후발주자인 구글, 스팀 등 플랫폼 기업들이 추격 중이다.

---
9) 출처 : 정보통신정책연구원

③ **네트워크**

네트워크 산업에서 기업들은 가상현실 콘텐츠의 원활한 이용이 가능한 네트워크 기술 개발을 추진하고 있다. 대용량 데이터 송수신을 위한 방송통신업체들의 연구개발이 추진되는 가운데 퀄컴 등 사업자들은 가상현실 콘텐츠 시장에 2020년까지 5G 통신망을 구축을 위한 연구개발 및 투자를 추진할 것이다. PSB, TNT 등 미국의 방송사들은 가상현실 뉴스, 다큐멘터리, 스포츠 등을 제작방송하며 가상현실 콘텐츠 제작에 참여하는 중이다.

④ **디바이스**

디바이스는 기술 개발 경쟁이 가장 치열한 부문으로 현재 가상현실 시장 성장을 주도하고 있다. 디바이스의 기술 개발 경쟁이 가장 치열하게 다양한 유형, 가격의 디바이스가 시도되는 단계이다. 사용자 입력 도구 기술은 시각 인식 기술에서부터 트레드밀, 글러브, 바디슈트 등 신체 인식이나 햅틱 등 다양한 접근 방식이 시도 되고 있다. 가격 또한 저가의 보급형 단말기부터 PC와 연동되는 고사양, 고가의 기기까지 스펙트럼이 다양화 되고 있다. 디바이스의 전략적 중요성에 따라 주요 ICT 기업이 디바이스 시장에 진출한 상황이며, 그 외 게임업체 및 스타트업들이 활동한다.

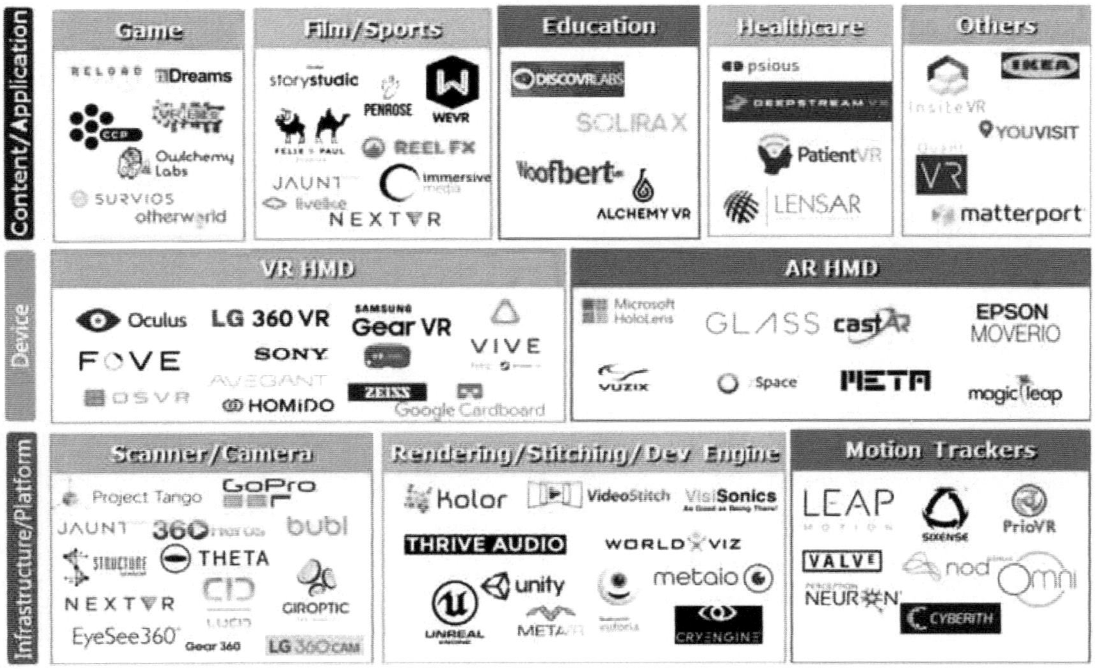

[그림 31] VR 및 AR 생태계 지도

03

가상현실 기술 동향

3. 가상현실 기술 동향

현재 가상현실 기술은 증강현실 등 다른 XR 기술들에 비해 완성도 측면에서 가장 앞서 있다. 가상 세계를 몰입감 있게 경험하기 위한 하드웨어의 발달 수준이나 가상 세계를 컴퓨터를 통해 구현하는 기술은 이미 일정수준 상용화가 가능한 단계다. 최근 도심지역에 생겨난 가상현실 카페와 통신사 광고 속에 등장하는 가상현실 시청 스포츠 이벤트, 콘서트 등 가상현실은 이미 우리 삶 속 많은 부분에서 대중들에게 노출 되어 있다.

소설에서 언급된 최초의 가상현실 개념 또는 90년대 시도되었던 3D 게임기 등 현대적인 가상현실과 거리가 있는 부분을 제외한다면 대중은 2013년 오큘러스 DK1(Development Kit 1) 출시를 기점으로 가상현실이란 개념을 접하게 되었다. 2014년엔 페이스북의 오큘러스 인수와 소니 PSVR 프로젝트 공개가 이어졌으며, 2015~2016년 삼성 기어VR, 오큘러스 Rift, HTC Vive 등 HMD가 일반 소비자 대상으로 출시 되었다.

이처럼 많은 기업에서 제품 라인업이 확대되며 가상현실에 대한 관심도가 증대되었으나 대중화 달성엔 실패했다. 그러나 향후 펼쳐질 미래는 과거와 다르다고 판단된다. 현재 가상현실 산업은 제반 인프라 및 관련 기술 발달에 기반한 변곡점을 지나는 중인데, 이번 변화는 충분히 장기 상승 흐름으로 이어질 수 있다.

가상현실 산업에서는 독립형 헤드셋 출시를 통한 모멘텀이 이어질 것으로 전망된다. 독립형 헤드셋은 가상현실 하드웨어의 주요 문제점이었던 높은 가격과 거추장스러운 유선 환경을 해소했다. 특히 오큘러스 퀘스트는 6DoF지원을 통해 유선 헤드셋와 유사한 성능을 제공하며 VR 헤드셋의 새로운 지평을 열었다.

가상현실 기술의 실제적 분류를 위한 뚜렷한 글로벌 스탠다드는 존재 하지 않는다. 이는 관련 기술의 상대적으로 짧은 역사에 기인한다. 우선 가상현실과 관련해 한국과학기술평가원이 주장하는 통합 기술분류 체계에 기반해 본다면 크게 ① 디스플레이 기술, ② 트랙킹 기술, ③ 랜더링 기술, ④ 인터랙션 및 유저 인터페이스(UI) 기술로 구분해 볼 수 있다.

구분	내용
디스플레이 기술	몰입 콘텐츠를 사용자가 감각적으로 경험할 수 있도록 제공하는 표시장치 기술
트랙킹 기술	몰입 콘텐츠에서 사용자의 생체데이터(움직임)를 실시간으로 추적하는 기술
랜더링 기술	몰입 콘텐츠를 고해상도/고화질로 구현하는데 필요한 HW 및 SW 기술
인터랙션 및 UI 기술	몰입 콘텐츠를 지각, 인지, 조작, 입력할 수 있도록 돕는 상호작용 기술

[표 2] 가상현실 통합 기술분류 체계

가상현실 기술은 HMD 단말을 중심으로 현재 ① 오락/엔터테인먼트 분야(게임, 영화, 테마파크 등), ② 서비스업분야(광고, 유통·쇼핑, 관광·여행, 의료/헬스케어 등), ③ 교육/미디어 분야(교육, 미디어, 시뮬레이션 등), ④ 산업분야(자동차, 제조업, 부동산/건축 등)에서 다양하게 적용되고 있는데, 각각의 분야에 대해 살펴보면서 가상현실의 기술 동향에 대해 살펴보자.

산업 분류	가상현실 기술 적용 예시
비디오 게임	몰입감 있는 게임환경 구현. PC, 콘솔, 모바일 모든 분야에서 발전 가능성 존재. 가장 먼저 모멘텀을 받을 수 있을 것으로 기대
라이브 이벤트	전통 형태 엔터테인먼트와는 다르게 직접 참여하는 느낌 선사. 스포츠, 콘서트뿐만 아니라 여행 관점에서도 접근 가능
비디오 엔터테인먼트	기존 영상이 제3자의 관점에서 시청하는 것과는 다르게 1인칭적 시점에서 영상 시청 가능. 높은 몰입감 부여
부동산	온라인 부동산 중개 시장에 적용 가능. 중개인 동반으로 매물을 보는 것이 아니라 VR기기를 통해 부동산의 내 외부 구경 가능
리테일	VR을 통해 가상 쇼룸과 같은 가상의 쇼핑 환경 구성. 의류/잡화 브랜드뿐 아니라 자동차 브랜드도 적용 가능
교육	새로운 형태의 교육 스킬로 이어질 수 있음. 야외활동을 간편한 형태로 바꿀 수 있으며 실습과정에서도 사용 가능
헬스케어	충분히 통제가 가능한 환경을 통해 각종 공포증 치료 및 재활영역에서 사용 가능. 의료인 교육에서도 유용
엔지니어링	컴퓨터 기반 제조 및 디자인 영역 등의 전반적인 발전에 활용
군사	조종사 훈련이나 실제 전투 훈련 등을 VR을 통해 진행 가능. 전통적인 방법에 비해 훈련의 위험도와 비용 측면 개선 기대

[표 3] VR 기술 적용 가능 산업 예시

가. 국내외 신규 디바이스 동향[10)]

1) PC 기반 VR디바이스

① 올아이피정보통신의 '파이맥스8K'

올아이피정보통신은 2019년 5월 30일에 서울 코엑스에서 열리는 '서울 VR AR EXPO 2019'에서 PC 기반 VR HMD '파이맥스 8K'와 올인원 VR HMD'드래곤아이 8K'를 출시했다. 파이맥스 8K는 사람의 시야각을 넘어서는 FOV 200과 해상도 7680x2160을 지원하는 제품으로 디스플레이의 각 패널은 3840x2160 픽셀을 지원하며 한 개 패널당 800만 픽셀 해상도를 구현했다. 2D영상과 3D영상, 360VR 및 360도 3D VR영상을 모두 볼 수 있어 영화 감상에 최적화 되어있으며, 8K영상은 30프레임을, UHD 4K 영상 120프레임까지 재생할 수 있다. 또한, MP4, MOV, MKV, TS, M2TS, AVI, FLV 확장자를 지원한다. 2008년에 설립된 올아이피정보통신은 향후 퀠컴의 스냅드래곤과 삼성전자의 넥시노스 버전 두 가지를 중심으로 라인업을 구성하여 시장에 지속적으로 선보일 예정이다.

② HTC의 모듈형 VR HMD '바이브 코스모스 엘리트'

2020년 6월 출시된 '바이브 코스모스 엘리트'는 익스터널 트래킹 페이스 플레이트를 제공하며, 외부 베이스 스테이션을 이용한 아웃사이드-인 트래킹을 지원한다. 바이브 코스모스 앨리트는 기존 VIVE보다 88% 향상된 2880x1700 통합 해상도, 90Hz 재생률, FOV 110과 픽셀 간격을 줄인 LCD 패널을 통해 스크린-도어 효과를 최소화했다. 또한, 온이어 헤드폰과 일체형 플립-업 헤드셋 적용으로 이용자의 편의성을 제고했고, 풍부한 사운드를 제공하며, 크라운-핏으로 헤드셋을 빠르고 쉽게 착용할 수 있다.

③ HP '리버브 G2'

HP는 2020년 6월 리버브 G2를 출시하였는데, 2160X2160 해상도, 2.89 인치 LCD 디스플레이, 주사율 90Hz, FOV 114 의 성능을 보유하고 있다. 또한, 4개의 내무 추적 카메라를 사용해 6DoF 인식이 가능하며, DP 가능 양쪽 렌즈 간격을 60mm~68mm 조절할 수 있다. 또한, 헤드셋 무게 1.1kg, 쿠션의 탈착 및 교체 가능하며, 6m 룸스케일 VR을 위해 고안되었으며, MR 기반 헤드셋, 밸브의 스팀 VR과도 호환이 가능하다.

---

10) VR·AR 디바이스 제작·이용 가이드라인 2020, 정보통신산업진흥원

구분	PSVR	오큘러스 RIFT S	파이맥스 8K	HTC VIVE PRO	HTC VIVE COSMOSE LITE	HP 리버브 G2
출시일	2016.10	2019.05	2019.05	2018.04	2020.05	2020.06
호스트 시스템	PS4	PC	PC	PC	PC	PC
가격	$399	$399	$800	$799	$800	$599
해상도	1920*1080	2560*1440	7680*2160	2880*1600	2880*1700	2160*2160
재생률	90-120Hz	80Hz	90Hz	90Hz	90Hz	90Hz
디스플레이	5.7" OLED	LCD	OLED	듀얼 3.5" AMOLED	LCD	LCD
무게	610g	500g	300g	555g	630g	490g
시야각	100도	115도	200도	100도	110도	114도

[표 4] PC 및 콘솔 연결형 VR 디바이스

2) 올인원 VR 디바이스

① KT '수퍼 VR'

KT는 2019년 7월 1일 국내 최초 4K 무선 VR 서비스인 'KT 슈퍼VR(Super VR)'을 출시했다. 슈퍼VR은 스마트폰 착용이 필요 없는 독립형 HMD로써 기존 스마트폰 착탈식이 가지고 있는 액정 손상에 따른 화질저하 등의 불편함을 해소했다. 또한, 피코(PICO)의 G2 단말을 사용하며, 4K 올인원(ALL-in-one) 단말을 사용해 보다 현실감 높은 경험을 제공한다. 기존 3K 단말 화소는 616ppi인 반면 슈퍼VR의 4K 화소는 818ppi로, VR 사용 중 느낄 수 있는 도트 현상, 어지럼증, 멀미 등을 개선했다. KT는 슈퍼VR의 활용도를 뒷받침하기 위해 4K 초고화질 콘텐츠 450여 편을 새롭게 선보이고, 스포츠, 슈팅, 공포, 리듬액션 등 다양한 장르의 게임 15종을 제공하여 매월 2종씩 신규 게임을 추가할 계획이다. KT는 2020년 5G 모듈이 탑재된 슈퍼VR도 출시했으며, 와이파이 전용 슈퍼 VR도 외부 5G 테더링을 통해 5G 네트워크를 사용할 수 있게 제공할 예정이다.

② 올아이피 정보통신의 '드래곤 아이 8K'

올아이피 정보통신은 2019년 5월 30일에 서울 코엑스에서 열리는 '서울 VR AR EXPO 2019'에서 PC 기반 VR 기기인 '파이맥스 8K'와 올인원 VR 기기인 '드래곤아이 8K'를 출시했다. 드래곤 아이 8K의 디스플레이는 3840x2160 LCD를 탑재했지만, 하드웨어 디코딩을 통해 최대 7680x3840 해상도를 표현할 수 있다. CPU의 경우 Samsung Exynos M2를 장착하여 전작인 엑시노스 8 Octa 8890과 비교할 때 약 60%의 성능이 향상되었다. 결과적으로 드래곤 아이 8K는 누워서 200인치 TV를 보는 것과 같은 효과가 있으며, 구매 구객이 유튜브와 넷플릭스와 같은 앱을 설치하여 대형화면으로 풍부한 영상 콘텐츠를 즐길 수 있다.

현재 많은 VR HMD 제품들의 기준이 되는 직경 53mm 프리넬 렌즈를 통해서 아이맥스와 같은 강렬한 몰입감과 8K 영상을 하드웨어 디코딩을 통해 국내 최초의 8K 동영상 체험이 가능하다.

③ Oculus Quest 2

Oculus Quest 2의 경우 올인원 VR HMD가 갖는 한계점을 극복했다. Oculus Quest 2는 PC형 VR도 호환 가능한 모델로 페이스북 로그인으로 계정을 관리하고, 1834 X 1920 해상도, 고속 LCD 디스플레이, 60, 72, 90 Hz 주사율을 제공한다. 또한, 소프트 스트랩으로 헤드셋 조절 용이하며, 3.5 오디오포트 이용 헤드폰의 사용도 가능하다. 4개 외부 카메라를 활용하여 이용 공간 설정 기능이 있으며, 패스스루 및 안전보호경계 기능을 제공한다. 보호경계기능을 이용하면 알림기능이 작동된다.

구분	PICO NEO2	슈퍼 VR	드래곤 아이 8K	HTC VIVE FOCUS+	오큘러스 GO	오큘러스 QUEST 2
출시일	2020.01	2019.07	2019.05	2019.04	2018.05	2020.10
호스트 시스템	독립형	독립형	독립형	독립형	독립형	독립형/ PC호환
가격	$700	$700	$600	$799	$199-249	$299
해상도	1920*2160	3840*2160	3480*2160	2880*1600	2560*1440	1984*1920
재생률	75Hz	75Hz	72Hz	75Hz	60Hz (조건부 72Hz)	90Hz
디스플레이	LCD	LCD	LCD	AMOLED	5.5” LCD	고속 LCD
무게	340g	276g	320g	695g	470g	503g
시야각	101도	101도	110도	110도	110도	100도

[표 5] PC 및 콘솔 연결형 VR 디바이스

3) 기타 VR 디바이스

① 아프리카TV VR 플레이어

아프리카TV가 아프리카TV VR 전용 HMD인 ‘아프리카TV VR 플레이어’를 2019년 8월 6일 출시했다. 아프리카TV VR 플레이어는 윈도우 MR과 호환되는 모든 PC형 HMD에 사용할 수 있으며, 스탠드얼론(모바일)형 HMD에는 2020년부터 단계적으로 서비스를 진행하고 있다. 아프리카 TV의 VR 플레이어를 통해 즐길 수 있는 대표적인 기능인 ‘멀티뷰 모드’는 아프리카TV의 2D 콘텐츠를 VR 공간에서 자유롭게 선택하고 배치해서 다양한 콘텐츠들을 동시에 시청할 수 있는 기능이다.

e스포츠의 경우 경기 중계 화면 뿐 아니라 선수들의 개인화면, 상대 전적 등 경기와 관련된 모든 정보들을 가상공간에 배치해 한눈에 확인이 가능하다.

[그림 33] 아프리카TV VR 플레이어 멀티 스크린 기능

웹페이지 형식으로 제공 됐던 '방송국'도 VR 공간으로 변화하며, BJ를 포함한 아프리카TV의 모든 이용자는 '캠프'라고 불리는 가상 개인 공간 기반 방송국에 3D 오브젝트로 구현된 '아티', '백호구', '꿀잼' 등 아프리카TV의 다양한 캐릭터 뿐 아니라, 가구, 애완동물 등 액서사리를 활용해 자신만의 특별한 공간으로 꾸밀 수 있다. 캠프를 통해 유니티, 언리얼과 네이티브 등 다양한 엔진으로 개발된 VR콘텐츠들을 연계할 수 있도록 관련 라이브러리와 기술 지원을 제공한다.

② 지스페이스의 AIO

미국 25,000 개 이상 학교에 창의인재교육 및 제조, 의료, 용접 등의 교육용 VR · AR 콘텐츠를 공급 중인 zSpace에서 VR · AR 교육을 위한 일체형 PC를 출시했다. AIO는 PC와 전용 3D 안경, 스타일러스 펜을 통해 다양한 3D 콘텐츠 체험이 가능하며, 폐쇄형 HMD가 가지고 있는 짧은 이용 시간, 이용연령, 타인과의 협업 등의 단점을 개선했다. AIO는 스페이스 콘텐츠를 통해 신체나 물건의 내부 구조를 살펴보는 등 직무교육에도 활용된다.

[그림 34] 지스페이스(zSpace)의 zSpace AIO

③ **페이스북의 차세대 VR HMD 시제품 공개**

페이스북 리얼리티 랩 연구진은 2020년 6월 29일 선글라스 형태의 VR HMD 시제품을 공개했다. 시제품은 홀로그래픽 광학기술과 레이저 광원 기술을 이용하며, 여러 장의 얇은 홀로그램 필름 레이어와 레이저 프로젝션 시스템, 방향성 백라이트를 사용한다. 시제품은 두께 9mm~11m, 디스플레이 무게 19g, 좌우 92도, 상하 69도의 시야각을 제공하는 제품이다.

[그림 35] 페이스북의 차세대 VR HMD

나. 분야별 활용 사례

1) 오락 엔터테인먼트

가) 게임[11)12)]

VR 게임은 주로 오큘러스 리프트, HTC 바이브(VIVE), 플레이스테이션 VR 등 HMD(머리 착용 디스플레이)를 이용한다. 과거 VR 게임은 기존 게임을 VR에 그대로 이식해 좋은 평가를 받지 못했지만, 최근들어선 VR에 최적화한 게임성·조작법을 도입하여 다시금 주목받고 있다.

전체 게임 이용자(n=2,174)의 가상현실(VR) 게임 이용률은 7.7%로 나타났으며, 여성의 이용률이 남성에 비해 상대적으로 높았고, 30대의 이용률이 타 연령층에 비해 상대적으로 높은 분포를 보였다. 가상현실(VR) 게임 이용자(n=167)의 성별·연령별 분포를 살펴본 결과, 여성이 남성보다 높은 비율을 차지하고 있었으며, 40대의 분포가 다른 연령대에 비해 높았다.

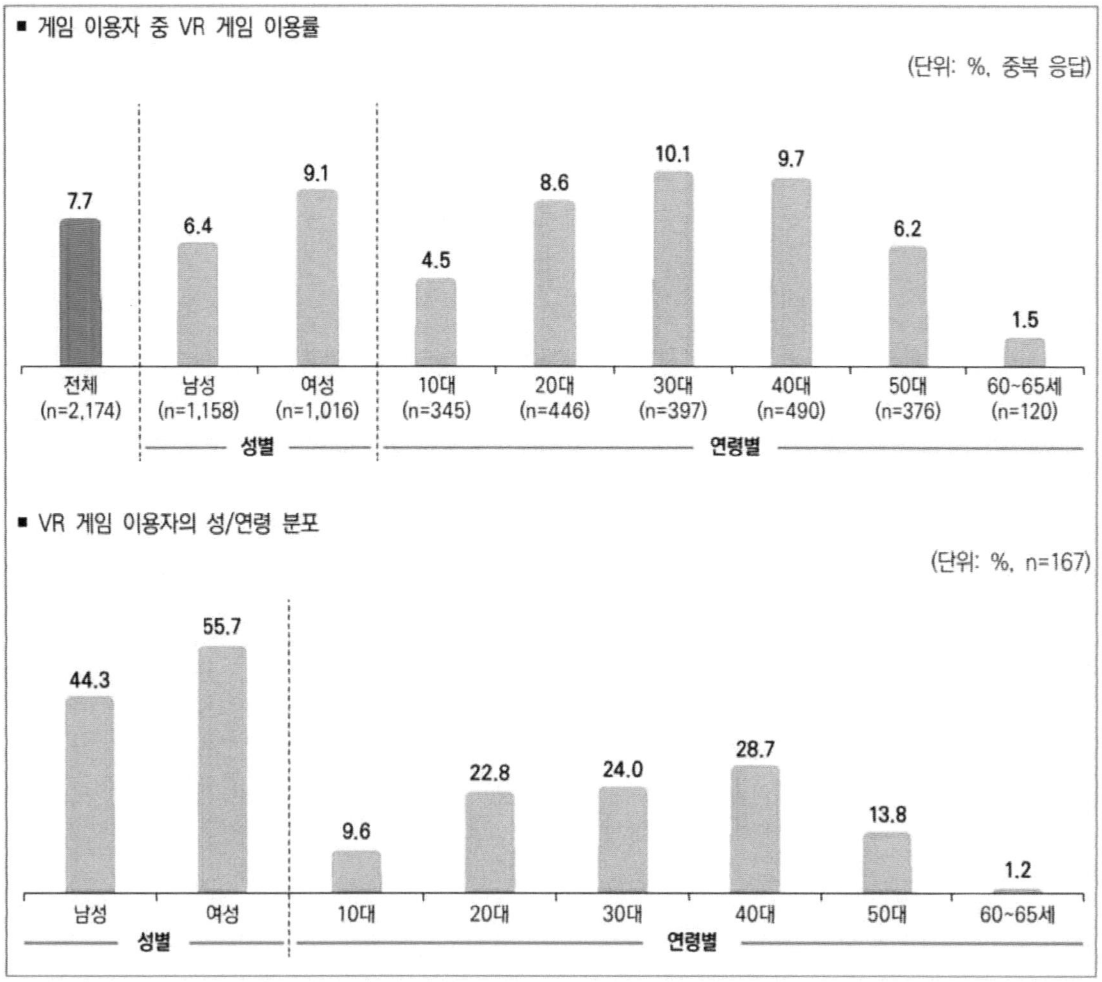

[그림 36] 가상현실(VR) 게임 이용자 특성

11) 코로나가 만든 VR의 재발견… 황금연휴 게임으로 운동하자, 윤민혁, 2020.04.30., 조선비즈
12) 대한민국 게임백서, 한국콘텐츠진흥원, 2020

가상현실(VR) 게임 이용자들(n=167)의 61.5%는 'VR 게임장 등 어트랙션'으로 구현되는 가상현실(VR) 게임을 가장 많이 이용해 본 것으로 나타났고, 다음으로는 '스마트폰'(53.4%)을 많이 이용한 것으로 조사되었다. 응답자 특성별로 살펴보면, 연령대가 높아질수록 '스마트폰', 'PC', '콘솔 게임기'로 구현되는 가상현실(VR) 게임을 경험한 비율이 높아지는 반면, 'VR 게임장 등 어트랙션'의 응답 비율은 낮아지는 경향을 보였다.

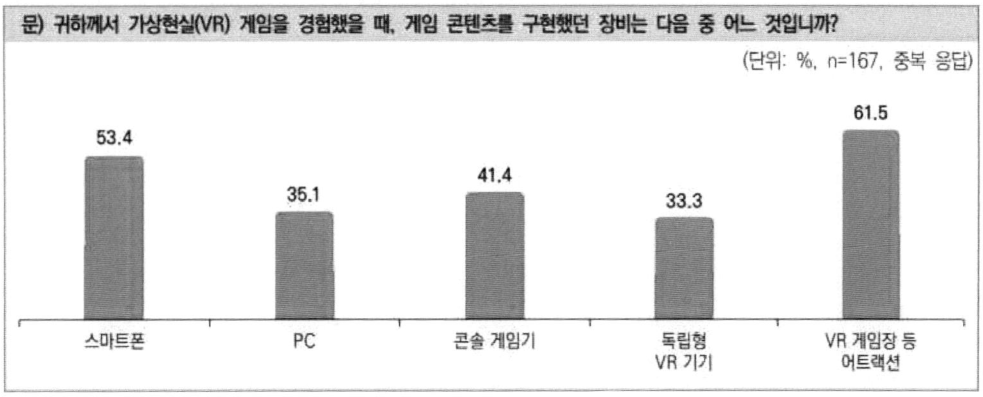

[그림 37] 가상현실(VR) 게임 구현 장비

가상현실(VR) 게임 경험 구현 장비별로 어플 및 타이틀과 같은 콘텐츠를 구입한 경험이 있는지 추가로 질문한 결과, '콘솔 게임기'(82.1%), 'PC'(79.9%) 순으로 가상현실(VR) 게임 관련 콘텐츠를 구입한 경험이 있는 것으로 조사되었다. 응답자 특성별로 살펴보면, 남성의 경우 'PC', '독립형 VR 기기', '스마트폰'으로 구현되는 가상현실(VR) 게임 어플 및 타이틀과 같은 콘텐츠를 구입한 비율이 비교적 높았으며, 연령별로는 20대는 '독립형 VR 기기'와 '스마트폰', 40대는 'PC'로 구현되는 가상현실(VR) 게임 어플 및 타이틀과 같은 콘텐츠를 구입한 비율이 상대적으로 높게 나타났다.

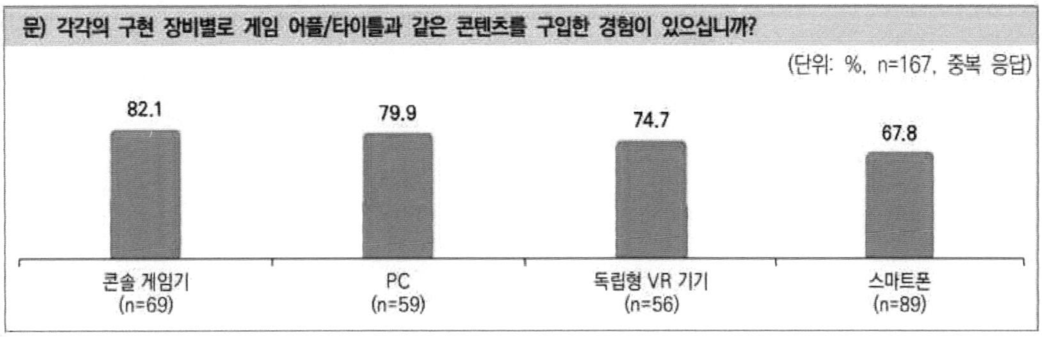

[그림 38] 가상현실(VR) 게임 관련 콘텐츠 구입 경험

PC 기반 가상현실(VR) 게임을 경험해 본 응답자들(n=59) 중 80.9%는 VR 헤드셋과 같은 하드웨어 구입 경험이 있는 것으로 조사되었다. 하드웨어 구입 경험이 있는 응답자들(n=47)에게 구입한 하드웨어의 종류를 추가로 질문한 결과, '오큘러스 리프트(Oculus lift)'라는 응답이 47.1%로 가장 높았고, 다음으로 '삼성 오디세이+VR'(44.8%), 'HTC vive'(37.1%) 순으로 나타났다.

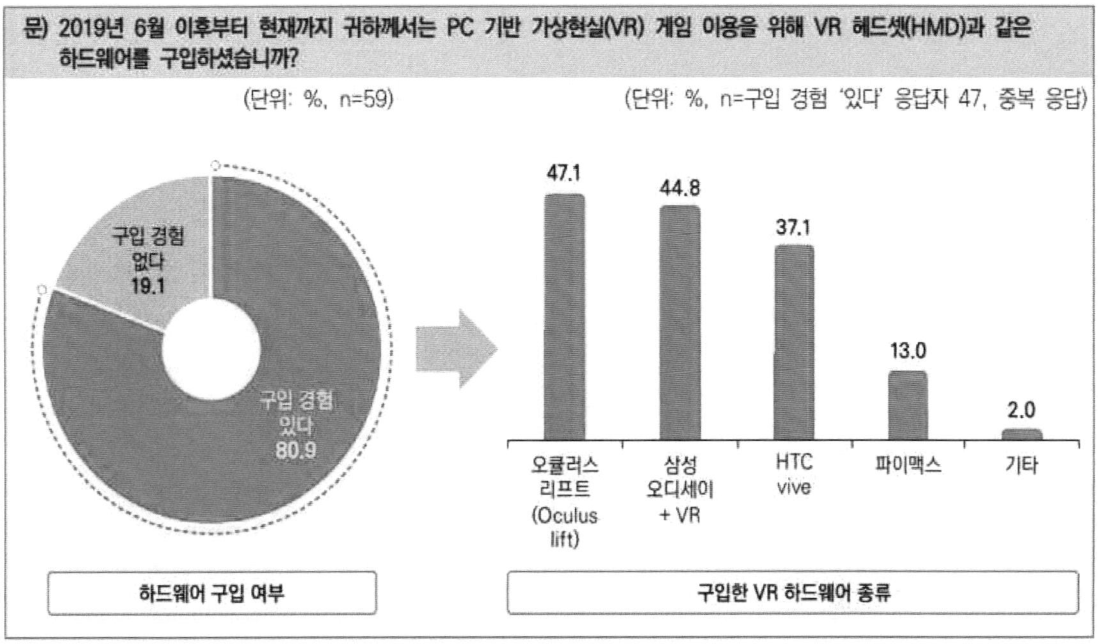

[그림 39] PC 기반 가상현실(VR) 게임 하드웨어 구입 여부 및 종류

모바일 기반 가상현실(VR) 게임을 경험해 본 응답자들(n=89) 중 81.6%는 VR 헤드셋과 같은 하드웨어 구입 경험이 있는 것으로 조사되었다. 하드웨어 구입 경험이 있는 응답자들(n=73)에게 구입 하드웨어의 종류를 추가로 질문한 결과, '삼성 기어 VR'이라는 응답이 72.3%로 가장 높았고, 다음으로는 '구글 데이드림 뷰'(33.3%) 순으로 나타났다.

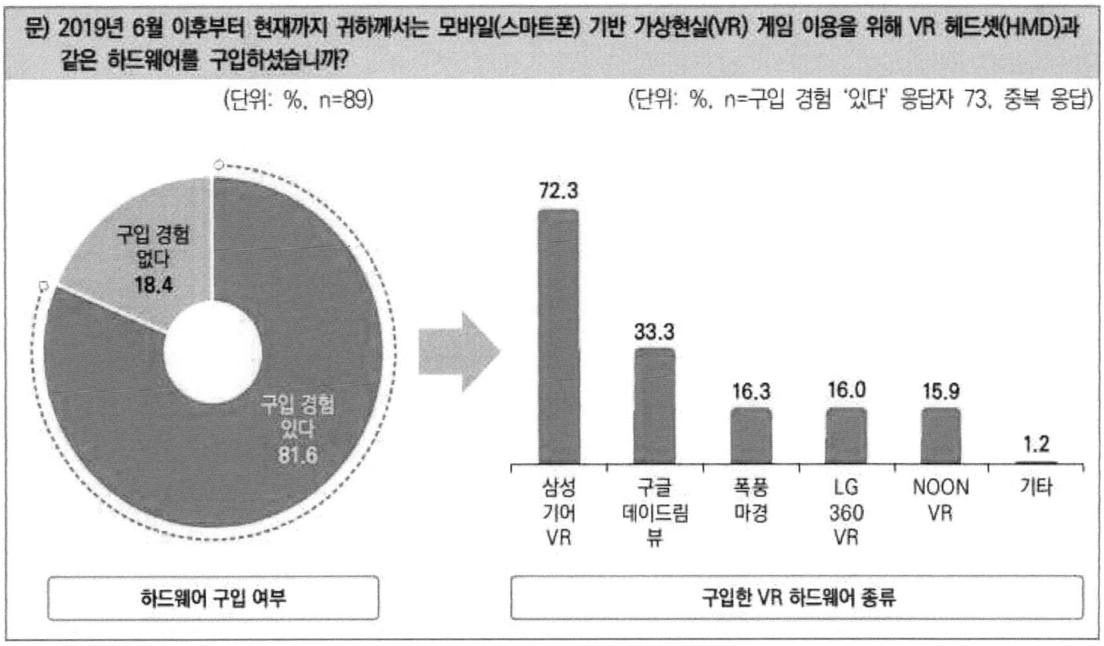

[그림 40] 모바일 기반 가상현실(VR) 게임 하드웨어 구입 여부 및 종류

콘솔 게임기 기반 가상현실(VR) 게임을 경험해 본 응답자들(n=69) 중 67.0%가 플레이스테이션 VR과 같은 하드웨어 구입 경험이 있는 것으로 조사되었다.

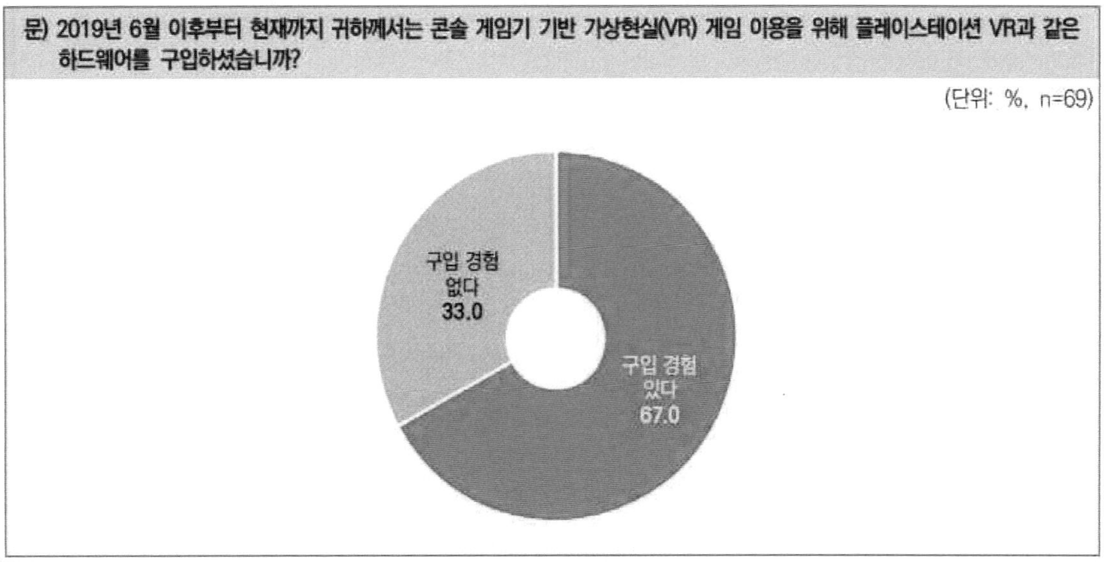

[그림 41] 콘솔 기반 가상현실(VR) 게임 하드웨어 구입 여부

독립형 기기 기반 가상현실(VR) 게임90)을 경험해 본 응답자들(n=56) 중 79.2%는 VR 헤드셋과 같은 하드웨어 구입 경험이 있는 것으로 조사되었다. 하드웨어 구입 경험이 있는 응답자들(n=44)에게 구입 하드웨어의 종류를 추가로 질문한 결과, '오큘러스 고'라는 응답이 49.6%로 가장 높았고, 다음으로는 '오큘러스 퀘스트'(40.5%), 'KT 기가라이브 TV 2.0'(33.2%) 등의 순으로 나타났다.

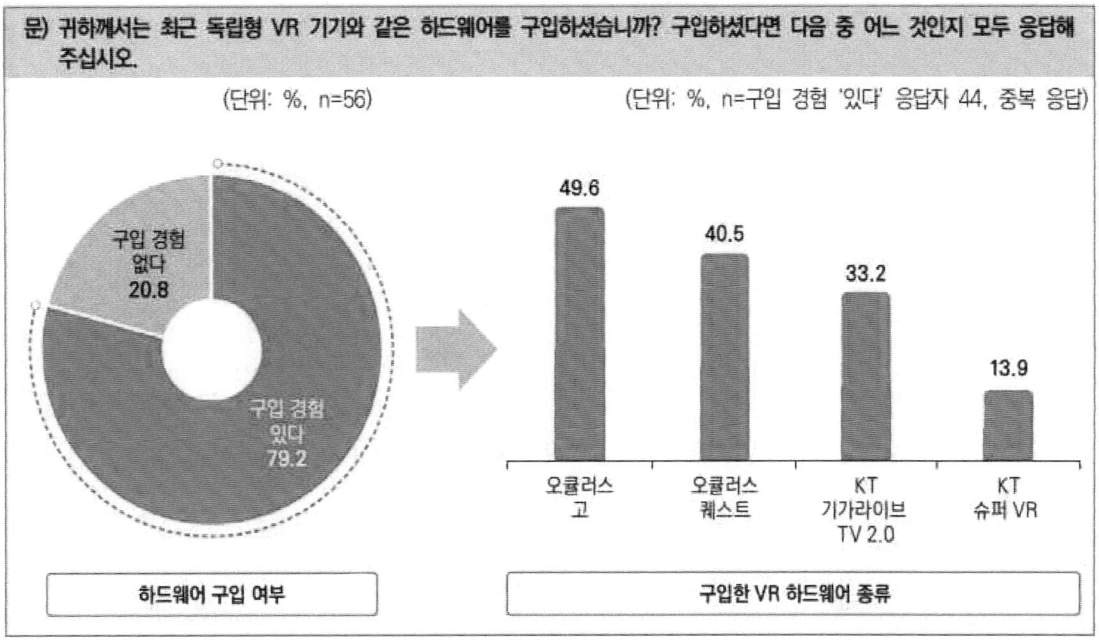

[그림 42] 독립형 기기 기반 가상현실(VR) 게임 하드웨어 구입 여부 및 종류

① 리듬게임

VR 게임 대표 장르는 리듬·스포츠다. HMD를 쓰고 리듬에 맞춰 다가오는 블럭을 손으로 터뜨리거나, 각종 구기종목을 즐기는 식이다. 최근 가장 인기 있는 VR 리듬 게임은 '비트세이버(Beat Saber)'다. 비트세이버는 이름처럼 레이저 광선검(Saber)을 들고 음악에 맞춰 다가오는 블럭을 잘라내고, 장애물을 피하는 게임이다.

[그림 43] 비트세이버

비트세이버는 VR에 최적화한 게임성으로, 'VR은 비트세이버를 위해 태어났다'는 찬사를 듣기도 한다. 전문가·일반인 평점을 종합해 소개하는 '메타크리틱'에선 VR 게임으로는 드물게 93점이라는 고평점을 기록하고 있다.

이러한 비트세이버는 리듬게임 치고는 음악의 종류가 부족하다는 평을 받고 있기도 하다. 만약, 좀 더 다양한 음악으로 VR 리듬 게임을 즐기고 싶다면 '오디오쉴드(Audioshield)'가 적격이다. 오디오쉴드는 과거 PC용 리듬 게임으로 유명하던 '오디오서프'를 VR에 맞춰 재해석한 게임이다. 이용자가 원하는 음악을 넣으면, 게임이 스스로 박자를 분석해준다. 게이머는 자동생성된 '노트'를 손으로 건드려 터뜨리면 된다.

② 스포츠 게임

방에서 스포츠 게임을 즐기려면 이동 공간이 제약돼 있는 만큼 탁구 게임이 많다. 스팀에선 패들 업(Paddle Up), 핑퐁 킹, 일레븐 : 테이블 테니스VR 등이 인기를 끌고 있다. 플레이스테이션이 있다면 '드림 매치 테니스 VR' 등 테니스 게임이나, '모두의 골프 VR' 등 골프 게임도 대안이 될 수 있다.

[그림 44] 패들 업

[그림 45] 핑퐁킹

[그림 46] 드림 매치 테니스 VR

[그림 47] 모두의 골프 VR

1인칭 시야와 두 주먹을 사용한 복싱 게임도 인기다. 링 위에 올라 상대의 주먹을 피하고, 내 주먹을 휘둘러 타격하면 된다. 스팀에선 '더 스릴 오브 더 파이트', '크리드: 라이즈 투 글로리' 등 게임을 찾아볼 수 있다. 크리드: 라이즈 투 글로리는 영화 '록키'의 후속작 '크리드'를 소재로 한 게임으로, 플레이스테이션으로도 즐길 수 있다.

[그림 48] 더 스릴 오브 더 파이트

[그림 49] 크리드 : 라이즈 투 글로리

③ FPS 게임

2020년 출시된 Valve의 VR 게임인 '하프라이프: 알릭스'는 인류를 구하기 위해 '콤바인'이라 불리는 악랄한 외계인 종족과 싸워나가는 게임이다. 게임은 밸브 인덱스, HTC 바이브, 오큘러스 리프트 등 VR 기기를 통해 플레이할 수 있다. 직접 몸을 움직여 물건을 잡고, 던지고 총을 쏘는 등 기본적인 체감형 플레이는 물론, 벽을 부여잡거나, 다양한 오브젝트에 하나하나 간섭할 수 있는 등 세밀한 상호작용까지 즐길 수 있는 것이 특징이다.[13)]

[그림 50] 하프라이프:알릭스

[그림 51] 본웍스

본웍스는 진정한 체감형 VR게임이라는 평이 있을 정도로, 물리 엔진을 기반으로 등장하는 모든 사물에 상호 작용이 가능하다는 특징이 있다. 본웍스 또한 하프라이프:알릭스와 마찬가지로 Valve사가 개발한 게임으로, Valve가 개발한 인덱스 컨트롤러를 기준으로 만들어 졌다. 바이브나 오큘러스로도 즐길 수 있지만, 컨트롤러가 제대로 호환되지 않아 진행에 어려움을 겪는다. 14)

13) 올해 VR 기대작, '하프라이프: 알릭스' 3월 24일 출시 확정, 게임메카, 2020.02.14
14) 체감형 VR게임의 교과서다, 꼭 하세요 '본웍스', 게임메카, 2019.12.19

나) 영화

가상현실 기술을 이용해 시야를 가득 메우는 대화면에서 영화 시청 시 몰입감과 현장감을 높이는 등, 가상 극장과 같은 효과를 얻을 수 있다. 과기정통부와 정보통신산업진흥원에서 운영하는 ICT-문화융합센터의 입주기업인 컴퍼니숨은 미국 VR 콘텐츠 유통 플랫폼 ‘어메이즈VR’에 국내 최초의 VR 영화 ‘안나, 마리’를 서비스했다. ‘안나, 마리’는 가수 백아연이 주연을 맡은 VR 인터렉티브 뮤지컬 뮤비로, 소속사에서 퇴출된 아이돌 가수 안나와 최고 인기의 휴머노이드 아이돌 마리의 관계를 담은 이야기다. 속편인 ‘안나, 마리2’는 한국콘텐츠진흥원 ‘2019년 가상현실 콘텐츠 제작지원 사업’에서 최종 선정된 바 있다. 탄탄한 스토리텔링에 음악과 춤, VFX 기술이 더해져 볼거리는 물론, VR콘텐츠의 새로운 장르를 열었다. 직접 제작에 참가한 컴퍼니숨은 향후 국내 공연과 뮤지컬을 VR콘텐츠로 담음으로써 예술계와 VR콘텐츠 시장 활성화에 힘을 보탤 예정이다.15)

[그림 52] 컴퍼니 숨

또한, 라제떼가 제작한 VR영화 '소년좀비'는 공포요소를 극대화한 2019 실감콘텐츠페스티벌(VROUND) 공모전에서 우수상을 수상했다. 라제떼의 소년좀비는 VR영화의 특징을 살리기 위해 장소 섭외부터 좀비 분장까지 시각적 강렬함을 적극 활용해 공포의 재미를 잘 살렸다는 평가를 받았다. 라제떼는 또한 인터랙티브 웹드라마 분야에서도 새로운 시도를 이어가고 있다. 2019년 한국전파진흥협회의 실험도전용 콘텐츠 제작 지원사업으로 만든 유튜버K(원제: 미라발굴단)도 이러한 활동의 일환이다. 본 작품은 주인공이 채팅방의 접속자와 실시간 소통을 하며 이야기의 진행 방향을 직접 결정하는 구성이다. 접속자는 자신이 제작진의 일부가 된다는 만족감을 주고, 배우는 스토리의 진행 방향을 결정하며 가상현실에서 높은 만족감을 얻게 되는 것이다.16)

[그림 53] 라제떼

15) 컴퍼니숨, VR영화 ‘안나, 마리’ 미국 어메이즈VR에 서비스, 유은정, 전자신문, 2020.03.06
16) 라제떼, VR영화 '소년좀비'로 실감콘텐츠 페스티벌 우수상 수상, 조선비즈, 2020.01.26

바른손은 영화진흥위원회 한국영화아카데미 VR 영화 'Attack on Daddy(국문명: 진격의 아빠)'가 제19회 2020 트라이베카 영화제 360 시네마 부문에 공식 초청받았으며, Oculus TV를 통해 온라인으로 공개되었다. 'Attack on Daddy'는 어린 딸과 아버지의 활극을 그린 작품으로, 가족 간 사랑과 믿음을 360 영상으로 담아냈다. 여타 360 작품들과 다르게 '가족애'라는 전 세계 통용 주제를 경쾌한 분위기로 풀어내면서도 VR 특유의 공간적 문법과 그래픽 합성을 적극적으로 활용, 높은 완성도를 보이는 것이 특징이다. 해당 작품은 한국영화아카데미 KAFA+ NEXTD 심화과정 작품으로 제작됐다.[17)]

[그림 54] 진격의 아빠

최근 부천국제판타스틱영화제에서 상영된 작품 중 VR 영화가 있다. 전시 작품 가운데 <잊혀진 작품: 버즈 오브 프레이>와 <미싱 픽처스: 차이밍량>은 화제의 VR영화 프로젝트 '미싱 픽처스' 시리즈 작품이다. '미싱 픽처스'는 감독들이 여러 이유로 제작하지 못한 미완의 작품을 VR의 형태로 구현해보는 다큐멘터리 시리즈다.[18)]

[그림 55] 부천국제판타스틱영화제 상영 VR영화 스틸

17) VR영화 '진격의 아빠' 트라이베카 영화제 초청, 한현정, 스타투데이, 2020.04.14
18) 아벨 페라라, 차이밍량 미완의 작품 VR영화로 만난다, 경기매일, 2021.11.10

다) 테마파크

가상현실(VR) 플랫폼 개발 및 '몬스터VR' 테마파크 운영 기업인 GPM 자사가 운영 중인 '송도 몬스터VR'은 지속적인 콘텐츠 업데이트와 이용객 중심의 차별화된 서비스를 앞세워 VR산업의 새로운 비즈니스 모델을 제시하며 서비스를 진행 중이다. GPM은 2019년 개최된 '서울 가상·증강현실 박람회'(Seoul VR·AR Expo 2019)에서 '거북선VR', '몬스터드롭', '몬스터라이더', '몬스터스윙' 등 자체 개발 VR어트랙션들을 선보였다. 특히, '거북선VR'은 '롯데 몬스터VR'에서 정식 서비스를 시작한 이후 웅장한 외관과 노량대첩을 체험할 수 있는 고품질 콘텐츠로 청소년 및 가족 단위 이용객들의 큰 인기를 얻고 있다.

또한, 송도 몬스터 VR은 야외 놀이공원 이상의 재미를 전달할 '몬스터드롭', '몬스터스윙' 및 호러, 판타지 등 새로운 콘텐츠를 담은 '롤러코스터VR' 등 다양한 VR어트랙션들을 선보이고, 주요 VR콘텐츠를 4K 해상도로 서비스하는 등 더욱 생생한 즐거움으로 이용객들의 만족도를 높여나간다는 계획이다.

[그림 56] 송도 몬스터VR 드래곤케이브

GPM은 국내 최초의 대규모 VR테마파크 '송도 몬스터VR', 백화점 최초의 VR테마파크 '롯데 몬스터VR' 등 VR 산업의 새로운 이정표를 제시하며 성공적인 사업 전개를 진행 중이다.[19] 롯데몬스터 VR은 실내 테마파크로 백화점 업계 최초로 롯데백화점이 오픈했다. 롯데몬스터 VR의 영업면적은 1400㎡로, 60개 이상의 VR 콘텐츠로 구성돼 있다. '몬스터 어드벤처', '몬스터 판타지', '몬스터 시네마', '몬스터 카페' 등으로 이루어져 있으며, 설치된 기구는 1인승부터 12인승까지 다양하다.[20]

19) 송도 몬스터VR, 2주년 맞이 주요 업데이트 콘텐츠 공개, 장정우, 비아이 뉴스, 2019.07.26
20) 롯데백화점, 건대점에 VR 테마파크 연다, 안소영, 조선비즈, 2018.08.08

[그림 57] 거북선 VR

KT가 가상현실 테마파크 사업을 국내에서 글로벌 시장으로 확대한다. KT는 말레이시아 조호르주 레고랜드 쇼핑몰에 현지 ICT 기업인 IISB와 공동 투자한 VR 테마파크 '브리니티(VRINITY)'를 오픈했다. KT는 2018년 브라이트(VRIGHT) 신촌점을 열고 VR 체험존 사업을 추진해왔다. 브리니티는 KT가 자체 개발한 실감 미디어 플랫폼을 기반으로 국내 브라이트를 통해 검증된 VR 콘텐츠를 선보이고 있다. 브리니티는 국내 호응이 높았던 VR 1인칭 슈팅(FPS) 게임 2종과 어트랙션 3종, 20여개 게임을 즐길 수 있는 VR룸으로 구성되어 있다. 브라이트는 대표 콘텐츠인 스페셜포스 VR, 블랙배지: 시그널, 다이나믹 씨어터, 로보트 태권브이 VR, 또봇 VR을 제공하고 있다. VR룸에서는 멀티플레이가 가능한 VR 스포츠 게임, 월드 워 툰즈: VR 익스피리언스를 만날 수 있다.[21]

[그림 58] KT 브리니티

21) KT, VR 테마파크 사업 글로벌 확장 시작, 권하영, 디지털데일리, 2019.08.29

zero Latency VR은 자유 이동(free-roam) 가상현실 시스템을 개발하는 회사로 호주 멜버른에 세계 최초로 VR 엔터테인먼트 파크를 오픈했다. 오픈된 가상현실 게임 파크에서는 최대 8명의 인원이 무선 헤드셋 및 장비를 착용하고 테니스 코트 크기의 공간에서 자유롭게 돌아다니는 가상현실 게임을 경험할수있다. 이때, 모션 캡처 기술을 사용하여 사용자의 위치를 추적하며 게임내 가상세계의 정확한 위치에 캐릭터를 생성한다. [22)]

[그림 59] VR 엔터테인먼트 파크

실감미디어 전문기업 닷밀이 2022년 7월 제주도 서귀포시 내에 세계 최대 규모의 메타파크 '루나폴'을 개장할 예정이다. 루나폴은 실감미디어 기술을 활용한 '미디어아트 존'과 '인터랙티브 나이트워크', 제주의 청정 자연에서 즐기는 액티비티, F&B 시설들이 어우러진 초대형 디지털 테마파크다.[23)]

[그림 60] 루나폴

22) zero Latency VR - 자유이동 가상현실 게임 파크, https://learnandcreate.tistory.com/892, 2021.12.12
23) 닷밀, 현실+가상현실 공존 메타파크 '루나폴' 제주도에 7월 문 연다!,투어뉴스, 2022.02.28

라) 스포츠

가상현실 스포츠는 전자공간상의 가상 컴퓨터 기술과 현실세계의 스포츠 환경이 접목되면서 비롯된 새로운 스포츠 시장이다.

가상현실 스포츠는 조이스틱, 마우스로 제어하는 스포츠 게임과는 전혀 다른 개념이다. 가상현실 스포츠는 모션 피드백이 가능한 가상현실 환경에 사용자가 들어가 실제 운동동작을 하는 특성을 지닌다. 사용자가 가상현실 스포츠에 충분한 현장감을 느끼려면 가상 운동 환경을 시각적으로 재현하는 비주얼 기술, 사용자의 움직임을 파악하는 센서기술, 사용자의 동작에 반발력을 제공하는 피드백 기술, 실제 운동동작을 재현할 수 있는 기구적 환경을 고루 갖추는 것이 바람직하다. 따라서 이를 이용하는 게이머의 동작은 가상현실 스포츠 환경의 변화를 유발하고 모션피드백을 통해서 경기에 몰입감과 흥미가 한층 높아지게 된다.

가상현실 스포츠가 큰 관심을 끌게 되었던 시작은 2015년 US 오픈 테니스 대회에 전시된 가상현실 테니스 게임이다. 본 게임은 마리아 샤라포바의 서브 모션을 비롯한 테니스 동작들을 설계했고, 직접 이에 맞춰 볼 스피드를 설계했다. 가상현실 스포츠는 이후 지속적으로 발전하여, 다양한 종목으로 구현되었다.

[그림 61] 테니스 월드 투어

최근 코로나 19로 인해 테니스 대회 마드리드 오픈이 코로나19 여파로 취소되자 4월 27일부터 사흘간 열리는 비디오 게임 '테니스 월드 투어'에 나달을 비롯한 정상급 남녀 테니스 선수 32명이 출전해 큰 관심을 끌기도 했다. 이에, 가상현실(VR) 기반의 e스포츠 게임이지만 대회 조직위원회는 TV 생중계는 물론 해설과 하이라이트 영상 제작, 선수 인터뷰까지 준비해 실제 대회처럼 게임을 진행했다. 그 결과 여자부에서는 지난해 마드리드오픈에서 우승했던 키키 베르턴스가 올해 온라인에서 '타이틀 방어'에 성공했으며, 앤디 머리가 마드리드오픈 테니스 버추얼 프로 대회에서 우승했다.

최근 SK텔레콤과 SK 브로드밴드는 가상현실에서 다른 참여자들과 함께 스포츠·영화·드라마 등 동영상 콘텐츠를 보며 이야기를 나눌 수 있는 '옥수수 소셜VR'을 상용화했다. '옥수수 소셜VR'은 가상현실 속에서 '옥수수'와 '소셜 커뮤니티'기능을 결합했다. VR 기기를 쓰고 접속하면 다른 이용자들과 함께 옥수수의 동영상 콘텐츠를 함께 즐기고 대화 할 수 있다.

'옥수수 소셜 VR'에서는 최대 8명이 가상공간 한 곳에 모일 수 있다. 원하는 공간의 종류와 콘텐츠를 선택해 방을 만들어 다른 접속자들을 초대하면 된다. 가상 공간의 종류는 거실·영화관·공연장·스포츠룸·e스포츠룸 총 5가지이다. 공간은 앞으로 다양하게 확대될 예정이다. 24)

[그림 62] 옥수수 소셜 VR

24) "친구야! 가상현실에서 같이 축구보자!" 옥수수 소셜VR 출시, 테크플러스, 2021.09.03

2) 서비스업

가) 광고

VR 광고란 IT기술 VR을 통해 잠재적 소비자에게 시청각적인 감각을 활용하여 3차원적인 정보를 제공해주고, 광고하고자 하는 상품과 관련된 체험, 경험을 하게 해주는 광고이다. VR 광고를 통해 기업은 소비자에게 실재감과 몰입감, 현장감을 선사해서 해당 상품을 사용으로써 느끼고 경험할 수 있는 세상은 현실과는 전혀 다른 새로운 세상임을 어필할 수 있는 것이다. 이런 효과를 내기 위한 성공적인 VR 마케팅에는 네 가지 요건이 있다.

요건	설명
Immersive	VR 헤드셋 착용을 통해 알리고자 하는 메시지에 온전한 몰입 유도
Impactful	소비자의 행동 변화를 이끌 만큼 강한 감정을 불러일으켜, 기존 매체를 뛰어넘은 확장된 경험 제공
Memorable	인간의 뇌는 특정 장소에서 벌어진 이벤트를 보다 쉽게 기억하므로 잊지 못할 콘텐츠를 VR을 통해 제공
Novel	대중의 관심과 상위 차원의 미디어로서 VR 경험의 호의적인 미디어 노출을 통해 얼리어답터들에게 새로운 배네픽 선사

[표 6] 성공적인 VR 마케팅 요인

모바일 디바이스를 베이스로 하는 가상현실 광고는 단순 영상 제공을 넘어서 소비자에게 체험을 제공하는 마케팅 아이템으로 이용되고 있다. 가상현실 기술은 브랜드와 상품에 대한 경험을 극대화시켜 광고회사나 마케팅업체에서 주목하고 있다. 360도 VR 영상은 최근 패션뿐만 아니라 각계에서 주목하는 첨단 마케팅 도구 중 하나로, 소비자들은 가상현실을 직접 체험하듯이 영상을 360도로 조종하며 감상할 수 있도록 제작되고 있다. 또 최근 네이버 TV캐스, 구글(유튜브), 페이스북 등 IT업체들이 360도 동영상 서비스를 강화하면서, 모바일 플랫폼을 통해 360도 광고를 접하는 이들도 증가하고 있다.

KT는 나스미디어와 함께 5G 시대를 맞아 새로운 가상현실 광고를 선보인다고 밝혔다. 나스미디어는 KT의 디지털 미디어랩이다. 두 회사가 발굴한 새로운 광고모델은 VR 스포츠 게임으로, 야구, 농구, 양궁 등 VR 속 가상 경기장에 광고 전광판과 배너를 개발해 영상과 이미지를 삽입했다. KT와 나스미디어는 첫 VR 광고 캠페인으로 '코카-콜라' 광고를 진행하고 있다.[25]

최근 제일기획은 영국 런던에서 열린 유럽 디지털 마케팅 분야 최고 권위 시상식인 '러비 어워즈(Lovie Awards)'에서 금상 4개 등 총 10개의 본상을 수상했으며, 제일기획 독일법인은 6개의 상을 받아 종합 우승에 해당하는 '올해의 광고회사(Agency of the Year)'에 선정되었다. 제일기획 독일법인의 수상작들은 모두 VR 기술을 활용했다.

25) KT, '코카콜라' 시작으로 5G 기반 VR 광고 시장 개척, 이경탁, 조선비즈, 2019.06.03

VR체험을 통해 고소공포 및 발표 불안을 겪는 사람들이 스스로 두려움을 극복할 수 있도록 도운 삼성전자 론칭피플 '비피어리스(#BeFearless)' 캠페인이 4개 상을, 독일 통합 25주년을 맞아 독일 10개 도시의 풍경을 VR영상에 담은 'VR 더 퓨처(VR The Future)' 캠페인이 2개 상을 받았다. 이 캠페인들은 VR기술을 이용해 심리 치료를 돕거나 국민들의 자긍심을 높이는 등 공익적인 성격을 띄고 있는 것도 특이한 점이라고 할 수 있다.[26)]

26) [뉴스] 제일기획 VR 디지털 광고, 세계가 인정하다. 제일매거진

나) 유통/ 쇼핑

2019년 페이스북이 개최한 연례 VR 개발자 대회 '오큘러스 커넥트 6' 콘퍼런스에서는 페이스북이 AR를 활용해 쇼핑몰에 가지 않고도 스마트폰으로 물건을 고르는 경험을 할 수 있는 장면을 시연했다.

가상·증강현실 기술은 백화점·마트 등 오프라인 쇼핑 공간을 눈 앞에 만들어준다. 비나 눈이 많이 오는 날, 이른 새벽이나 공휴일 등 쇼핑을 즐기기 어려운 상황에 있더라도, 가상현실 쇼핑몰을 활용하면 시공간 제약 없이 쇼핑을 즐길 수 있다.

증강·혼합현실과 쇼핑의 궁합은 더욱 좋다. TV 방송에 등장한 옷을 거실 거울에 비친 자신의 모습에 증강현실로 투영하면 내 체형과 얼마나 어울리는지 볼 수 있다. 가전이나 가구를 실내에 미리 배치해보고 부피와 색상을 가늠해보는 것도 가능하다.

해외 증권가와 정보통신업계는 일찌감치 가상현실과 유통가의 시너지를 주목했다. 골드만삭스는 2025년 도소매업 가상현실 시장 규모가 16억달러(1조7784억원)에 달할 것으로 예측했다.

한국 유통가도 가상·증강현실을 활용한 매장을 선보이기도 했다. 현대백화점은 매장과 상품 일부를 가상현실로 재현한 VR스토어를 개발했다.

[그림 63] 현대백화점 VR 매장

현대홈쇼핑은 KT와 VR 피팅 서비스를 선보였다. 소비자의 신체 사이즈를 입력해 만든 아바타에 홈쇼핑 방송 중인 옷을 입혀볼 수 있는 서비스다. 옷의 질감과 스타일, 체형에 얼마나 어울리는지를 볼 수 있어 유용하다.

[그림 64] 현대홈쇼핑 VR 피팅 서비스

롯데하이마트와 롯데홈쇼핑도 모바일 앱을 통해 가상·증강현실 쇼핑몰을 선보인 경력이 있다. 롯데하이마트는 2017년 생활 공간에 가전 제품을 배치할 수 있는 AR 쇼룸을, 롯데홈쇼핑은 2018년 상품 매장을 가상현실로 재현한 VR스트리트를 각각 선보였다.

[그림 65] 롯데홈쇼핑 VR 스트리트

한국 유통가가 선보인 이들 가상·증강현실 쇼핑 서비스는 개발 초기 단계로, 완성도는 낮다. 가상현실 쇼핑몰은 상품 종류가 매우 적고, 상품 및 매장 해상도가 흐려 실제 공간만큼의 현실감은 느낄 수 없다. 증강현실 쇼룸이나 피팅 서비스는 다루기 어렵고 기능도 제한적이다.

하지만, 가상·증강현실 관련 기술이 꾸준히 발전하고 있어 서비스 개선을 기대할 만하다. 점차 보급되고 있는 고해상도 가상현실 카메라와 HMD(Head Mount Display), 대용량 콘텐츠를 실시간 전송하는 5G 통신이 자리 잡을 2019년, 가상·증강현실 기술과 유통가의 융합은 가속화될 전망이다.27)

최근 CJ온스타일이 가상현실을 접목시킨 비대면 패션 쇼핑을 선보였다. CJ온스타일에 따르면 CJ온스타일은 새로운 영상 기술이 적용된 미디어월 전용 스튜디오를 오픈했다. 이 스튜디오는 미디어월 스크린에 가상현실(VR)·확장현실(XR) 등의 효과를 입힌 그래픽 이미지를 띄워 무대 실물 세트와 배경을 대체한다.

CJ온스타일은 국내 방송사 최초로 리얼 커브드 기술이 적용된 LED 사이니지 미디어월(제조사 LG전자)을 도입했다. 가로 24.6m, 세로 4.05m로 업계 최대 규모다. 화질이 뛰어나고 곡면이 부드럽게 연결되며 역동적인 영상 구현에 최적이다. 방송 중간에도 배경을 자유롭게 교체할 수 있고 VR 등의 기술도 적용하기 쉽다. 가상 그래픽을 실시간으로 카메라 영상에 구현하는 '언리얼 엔진'을 활용한 XR은 방송 몰입감까지 높여준다는 평가를 받았다.28)

신세계그룹의 리빙·라이프스타일 기업 신세계까사가 가구 구매 전 다양한 스타일의 가상 공간에서 제품을 미리 체험할 수 있는 서비스를 선보였다. VR 쇼룸은 그동안 물리적 공간 제약으로 오프라인 매장에서 보여줄 수 없던 다양한 홈 스타일을 3차원의 가상 공간에서 체험할 수 있도록 한 서비스다. 고화질의 3차원 기술로 제품을 실사 수준으로 구현했으며, 360도 파라노마 뷰를 통해 체험의 몰입감을 높인 점이 특징이다. 또한 고객이 쇼룸에서 바로 제품의 상세 정보를 확인하고 구매까지 가능하도록 설계해 편의성을 강화했다.29)

[그림 66] 신세계까사

27) [2019 新유통] ①스마트스피커·VR 덕분에…쇼핑 혁명 초읽기, 차주경, IT조선, 2019.01.01
28) CJ 온스타일, '가상현실 맛집'으로 승부수…디지털 접목시킨 비대면 패션 쇼핑 선보여, 아시아경제, 2022.02.03
29) 가구도 가상으로 체험한다…신세계까사, VR 쇼룸 '까사미아 그랜드 아파트' 선봬, 매일경제, 2022.03.01

다) 관광/ 여행

가상현실은 전 세계 어디든지 가이드와 함께 여행할 수 있게 해준다. 관광객은 각각의 여행 명소를 가상현실로 둘러볼 수 있어 상대적으로 더 작고 덜 알려진 장소들을 알 수 있다. 관광과 호텔업체도 VR을 이용해 목적지와 숙소를 선보일 수 있다.

VR의 가장 큰 매력은 과거로의 회귀가 가능하다는 것이다. 최근 가수 김광석, 마이클잭슨 등의 공연을 VR과 홀로그램으로 구현한 것이 사례라고 할 수 있다. 역사 속으로 사라진 거리를 가상현실로 재현시키는 것도 가능하다. VR을 통해 과거로의 여행을 떠날 수 있는 것이다. 지나간 것들을 다시 경험할 수 있다는 부분이 큰 이점으로 작용할 것이다.

VR은 몰입감 높은 경험을 제공하는 신기술이다. 이 기술은 아직까지는 주류에 편승하지 않았지만 많은 대중들이 VR 기술에 대해 들어본 적이 있거나 관심을 갖고 있다. 일부 국가와 기업에서는 VR 기술을 직접 활용해 새로운 관광 체험 상품을 만들어내고 있다.

중국은 VR 기술의 혁명적인 선두 주자로 부상했다. 상하이 등 유명 관광 지역의 서비스 센터에 VR 장치를 설치해 VR 투어를 제공한다. 관광객들은 VR 기술과 다양한 인텔리전트 응용 프로그램을 사용해 진마오 타워, 상하이 월드 파이낸셜 센터, 중화예술관, 상하이 타워 등 상하이 내의 유명 랜드마크를 돌아볼 수 있다. VR 기기 사용법도 매우 간단하다. QR 코드만 스캔하면 된다. VR 투어 맵이 시작되면 관광객들은 푸동 지역의 강변 22km 범위를 살펴볼 수 있다. 이 VR 투어는 인간과 컴퓨터 간의 상호 작용을 위해 고안된 고급 정보 조회 시스템을 갖추고 있다. 중국 당국은 향후 이런 VR 투어가 더 큰 인기를 끌게 될 것으로 예측했으며 이 기술이 스마트 관광을 촉진시키기 위한 노력의 일환이라고 말했다.

VR 기술을 여행 산업에 도입한 국가는 중국뿐만이 아니다. 이스라엘 또한 VR 기술을 도입했다. 역사적인 유물이 풍부한 국가인 이스라엘은 유명 여행지인 예루살렘에 VR 기술을 도입했다. 이들은 훼손된 역사적 유적지, 혹은 이제 사라지고 없는 역사적 유적지를 VR 기술로 재현해 관광객들이 현대 건축물 사이에서 과거의 예루살렘을 체험할 수 있도록 만들었다. 즉 관광객들은 현대의 분위기 속에서 과거의 느낌을 경험할 수 있다. 다윗탑 박물관과 호주 회사인 리토모도스 VR(Lithodomos VR), ToD 이노베이션 랩(ToD Innovation Lab)의 공동 작업 결과물로 인해 관광객들은 2000년 전의 예루살렘을 직접 거닐 수 있게 됐다. 투어 가이드의 도움으로 관광객들은 VR 시점에서 다윗탑 박물관을 지나 구시가지로 이동한다. 특정 위치에서 VR 헤드셋을 착용하면 그 위치에 예전 예루살렘 모습이 덧씌워진다. VR 기술은 관객들이 역사에 더욱 몰입할 수 있도록 돕는다. 투어 가이드는 관객들이 헤드셋을 쓰고 이동하다가 넘어지지 않도록 살핀다. 이 VR 헤드셋에는 360도 3D 이미징 기술이 내장돼 있어 사용자들은 자신들이 실제로 2000년 전 예루살렘에 와 있는 것 같은 기분을 느낄 수 있다. 해당 VR 투어에 사용되는 주요 기기는 삼성의 갤럭시 7 스마트폰, 삼성 기어 VR 헤드셋, 그리고 이어폰 등이다. 시스템 개발자들은 이 시스템을 더욱 개선하기 위한 연구를 진행 중이라고 말하며 이것이 비즈니스를 넘어서 개발자 개개인과 이스라엘의 관계를 돈독히 만드는 프로젝트라고 강조했다. 개발자들은 이 기술이 회사의 기술적인 성취일 뿐만 아니라 개인적인 성취이기도 하다고 말했다.

기술 발전으로 인해 관광 산업은 앞으로 VR 기술과 더욱 친근해질 것이다. 말할 필요도 없이 관광객들은 육체적인 피로 없이 편안한 휴가와 여행을 즐길 수 있다. 또한 예루살렘처럼 역사가 오랜 국가의 경우 VR 기술을 국가 홍보 및 관광 산업 부흥 전략으로 사용할 수 있다. 많은 사람들이 역사적 사실과 역사적 건축물 등에 흥미를 느낀다. 이런 VR 기술은 국가가 고유의 문화를 보존하는 좋은 방법이 될 것이다. 앞으로는 중국과 이스라엘 뿐만 아니라 다른 국가들도 관광 산업에 VR 기술을 도입할 것으로 보인다.[30]

최근 코로나19 사태 장기화로 여행·레저 관련 VR(가상현실) 콘텐트가 뜻밖의 관심을 받고 있다. 현재 국내 VR 콘텐트 시장은 이통3사가 주도하고 있다. KT의 VR 서비스 '슈퍼 VR'에 따르면 해외여행 관련 콘텐트가 대거 '3월 인기 콘텐츠' 차트 상위를 차지했다. 뉴욕의 관광 명소를 담은 '뉴욕 뉴욕 뉴욕'(3위)을 비롯해, '베네수엘라의 앙헬폭포'(4위) '노르웨이의 오로라'(7위) '멕시코의 백상아리'(10위) 등이다. 슈퍼 VR의 3000여 개 콘텐트 가운데 여행 콘텐트는 대략 200편에 이른다. 국내 주요 여행지는 물론이고, 지역 축제의 하이라이트도 VR 콘텐트로 올라와 있다.

SK텔레콤의 모바일 앱 '점프 VR'에서도 여행 콘텐트의 이용량이 급증했다. 1월 이용량 대비 2, 3월 이용량이 각각 8%, 41.7% 증가했다. 소재는 꽤 다양하다. 세계 명소 시티투어, 전시회 관람, 먹방 등 익숙한 여행 영상은 물론이고 서핑·열기구·카약 등 액티비티 체험 영상도 있다. 대개 3~10분짜리 영상에 불과하지만, 전후좌우로 영상을 즐길 수 있어 몰입도가 높다.[31]

한국철도공사(코레일)는 실제 열차를 운전하는 듯한 가상현실(VR) 영상을 한국철도TV 유튜브 채널을 통해 선보였다. '한국철도와 VR 랜선여행'이라는 주제로 공개하는 이번 콘텐츠는 지난해 운영한 랜선 여행의 후속 작품으로 기관사 시점에서 열차가 질주하는 장면을 VR로 생동감 있게 감상할 수 있다. VR 안경을 착용하면 360도로 회전하며 운전실 내외부 화면을 체험할 수 있다.[32]

문화체육관광부는 유네스코, 한국콘텐츠진흥원과 함께 프랑스 파리 유네스코 본부에서 봉준호 감독의 영화 '기생충'과 방탄소년단의 콘서트 등 한류를 대표하는 콘텐츠를 융·복합 실감콘텐츠로 즐길 수 있는 '한국: 입체적 상상' 전시를 성공적으로 개막했다. 이번 행사에서는 방탄소년단의 공연 무대를 3면이 LED로 된 정육면체 공간 속에서 실감 콘텐츠로 만나볼 수 있으며 가상현실 기기를 통해 360도 실감 영상으로도 즐길 수 있다.[33]

---

30) 가상현실 투어, 여행 산업의 미래가 된다, 오승해, AI 타임스, 2019.04.08
31) 코로나19 시대, 여행도 VR(가상현실)로 떠난다, 백종현, 중앙일보, 2020.04.06
32) 실제 열차 운전처럼…코레일, 가상현실 랜선여행 콘텐츠 공개, 연합뉴스, 2022.02.09
33) 기생충·방탄소년단, 파리에서 가상현실로 전세계 팬들 만나다, 벤처스퀘어, 2021.07.07

3) 의료/ 헬스케어[34)]

VR 의료의 장점으로 VR 기술을 적용하면 의료 서비스의 생산성 향상과 부가가치 증대를 도모할 수 있다. 실제 인체 장기에 가깝게 재현할 수 있는 VR 시뮬레이션의 활용으로 의대생이나 수련의 교육에 소요되는 인체 사체 및 장기, 의료 장비 등을 절약할 수 있고, 외과수술 활용 및 정신과, 재활치료 등에 활용되어 효율성이 향상된다.

VR 의료 기술은 1990년대 미국에서 참전 군인들의 외상 후 스트레스장애를 치료하기 위해 처음 개발됐고, 각종 공포증 치료 등에 저렴하고 편리하게 이용되고 있다. 국내에서는 2005년에 정신건강 의학과에서 공포증을 치료하기 위해 도입한 후 적용되기 시작됐다. VR을 이용하면 보다 안전하고 통제된 환경에서 질병이나 장애의 원인을 살펴보고 재현하며, 사람의 인지구조에서 절대적인 시각과 뇌의 연계가 용이하고, 게임 요소를 가미해 치료 효과를 높일 수 있어 일반 진료보다 1) 의료 교육 분야, 2) 각종 공포증의 극복 및 신체 재활 프로그램, 3) 가정용 의료기기 분야 등에서 활발히 적용되고 있다. 특히 장애, 고령 등으로 거동이 불편하거나 이동이 자유롭지 않은 사람들에게 효과가 있는데, 그들에게 바깥세상과 만나는 통로가 되기 때문이다. VR로 로봇수술도 실시할 수 있고, 분산된 환자 관리도 매우 유용하며, VR 애플리케이션은 환자에 대해 배우고 의료 종사자와 같은 방식으로 환자를 검사할 수 있도록 설계되고 있어 시간 절약과 매출 증대 효과를 볼 수 있다.

의료분야에서 VR의 활용은 의사의 보조수단이나 환자의 스트레스 감소, 의대생의 학습도구, 의료 관계자의 훈련이나 시뮬레이션 등 폭넓게 활용되고 있다. 의료·헬스케어 분야 종사자들은 실제적인 가상환경이나 인간 신체의 가상모델을 활용해 인체에 직접 시술하기 전에 유용한 정보를 확보할 수 있고, 학습을 위한 목적뿐만 아니라 위험이 높은 수술을 집도하는 숙달된 의료진에게도 필요하다. VR의 공간성, 실시간 상호작용, 자기투영성 요소들은 지각·인지, 의식·행위 등에 관여할 수 있어 영상진단학, 외과학, 재활의학 등에 도입되고 있다. 화상 환자의 통증 관리를 위해 VR 의료 비디오 게임을 활용한 주의분산치료(Distraction Therapy)는 효과가 있음이 입증되었다.

암 환자에게 VR을 통해 항암치료를 사전에 경험하게 해 부작용·고통을 완화하고, 뇌졸중 환자 연구에서 VR 기반 로봇 재활치료가 기존 치료보다 효과적이며, 알츠하이머병과 주의력결핍 과잉행동장애(ADHD) 관리에도 활용되고 있다. 3D 인체 장기의 모델화, 진단과 수술 연습이 가능한데, VR은 환자의 수술 부위를 자유자재로 돌려가며 시뮬레이션할 수 있는 3D 가상 수술 시뮬레이터를 통해 외과수술 교육과 훈련에 활용된다.

영상진단학과 외과학에서는 3D 기법을 활용해 실제 인체 장기를 모델화하며, VR을 영상진단학에 응용하기 위해 실제 인체 장기에 가깝게 재현할 수 있을 정도의 고도의 컴퓨터 그래픽스를 이용해 현실감 향상 기술에 중점을 두고 있다.

---

34) 가상현실(VR)의 의료분야 적용 동향, 전황수, ETRI, 2019.04

① **영상진단**

Bioflight VR은 진단의 정확성을 높이기 위해 VR 환경에 데이터를 업로드 할 수 있는 솔루션을 구축해 CT 스캔과 MRI 데이터를 3D 이미지로 볼 수 있으며, 플랫폼은 GPU(Graphics Processing Unit)를 이용하여 가상환경을 통해 제공하고 있다. 상세한 정보 덕분에 환자의 상태를 좀 더 세부적으로 분석, 파악할 수 있고, 의사들은 수술 계획을 세울 시간을 절약하고 정확하게 환자 상태를 진단해 치료를 제공한다.

EchoPixel은 True 3D System을 개발해 초음파, CT 스캔, MRI 이미지를 3D 형태로 표준화함으로써 세계 의료 이미징분야에 영향력을 행사하고 있다. True 3D 시스템의 상세한 이미지들은 내과의사에게 환자의 구조와 질병에 대한 이해를 깊게 해 뛰어난 진단과 치료를 제공한다.

도쿄여자의과대학은 증강현실(AR: Augmented Reality)을 이용하여 수술 도중 집도의가 의료용 화상 관리 시스템을 조작할 수 있는 솔루션 개발을 진행하고 있다. 수술을 집도하는 의사는 각종 디바이스나 키보드를 만질 수 없어 의료용 화상을 보려면 간호사나 스태프가 화상 관리 시스템을 조작해야 하는데, 이를 개선하기 위해 해당 솔루션을 개발해 집도의는 화상관리 시스템에 저장된 CT 데이터를 어느 위치에 삽입할지, 어느 위치에 배치할지등을 손의 움직임으로 조작할 수 있다.

대구경북과학기술원(DGIST)은 증강현실을 이용하여 실제 수술도구와 가상 수술도구를 함께 표시함으로써 수술자의 원활한 수술을 가능하게 한다. 장기 이미지 내 지점을 기준으로 3차원 렌더링하여 가상의 장기 모형 간의 깊이 정도를 파악하는 수술 내비게이션 시스템 운용방법, AR과 VR의 전환 통해 운동시차를 만들어 깊이감을 파악한다.

② **외과**

뉴욕 마운트 시나이(Mount Sinai) 병원은 수술 AR 플랫폼 'CaptiView'를 이용해 동맥류 수술을 마쳤다. 집도의가 현미경을 통해 환자의 뇌 화면 위에 수술 전에 촬영된 환자 뇌 내부의 2D/3D 영상이 겹쳐서 나타나 고개를 돌릴 필요가 없다. 수술과 관련된 기타 의료 정보도 현미경 화면에 불러올 수 있으며, 의사가 수술하는 동안 어느 곳을 보는지를 파악하여 자동으로 초점을 맞추어 주는 기능도 탑재됐다.

일본 고베대 부속병원 소화기내과는 임상수술현장에서 VR과 3D프린터를 연간 약 50건 이상 활용하고 있다. 환자의 몸을 CT로 촬영한 후, CT 검사에서 얻을 수 있는 2D의 평면으로 표현되는 이미지를 다시 3D 데이터로 변환해 환자가 병원에서 CT 검사 촬영 데이터를 가져오면, 자신의 몸을 3D로 볼 수 있게 해 주고 있으며, 환자의 몸에 프로젝션 매핑 기술로 영상을 투영하면, 몸을 열지 않아도 내부 장기 위치를 볼 수 있는 VR 기술을 적용하고 있다. 일본 국제의료복지대 의대 스키모토 마키 교수는 홀로렌즈를 이용해 VR 간 수술을 하고, VR을 이용해 전립선암 수술을 시행하였다.

분당서울대병원 정형외과 조환성 교수팀은 DGIST 로봇공학과 홍재성 교수팀과 함께 2017년 3월 세계 최초로 태블릿 PC에서 증강현실 시스템을 적용한 골종양 수술을 성공적으로 수행하였다. 증강현실 시스템은 CT, MRI 등 영상진단이미지를 통해 확보한 종양의 위치와 크기를 프로그램에 입력하면, 종양의 위치 정보를 태블릿 PC에 표시되며, 정강이뼈에 골종양이 발생한 환자의 수술에 증강현실 시스템을 적용해 불필요한 절제를 최소화 하면서도 종양을 안전하게 절제한다.

③ **안과**

비비드 비전(Vivid Vision)사는 약시나 사시를 앓는 환자를 위한 VR 헤드셋을 개발하였다. 게임을 이용해 좌우 눈에 미묘하게 다른 이미지를 투사해 잠자던 뇌를 자극하고, 눈과 뇌의 연계를 복원해 시력을 강화한다. 안과의사와 병원을 대상으로 VR 게임을 이용한 치료 프로그램을 제공하고 있는데, 미국 내 90개 이상의 병원이 이 프로그램을 도입했고, 2017년 말 환자의 편의성을 높이기 위해 시각장애 환자가 직접 구매해 가정에서 사용할수 있는 버전을 출시하였다.

케임브리지 컨설턴트(Cambridge Consultants)는 2016년 9월 스마트폰으로 녹내장을 검사할 수 있는 VR 기기를 개발했다. 사방에서 빛이 쏘아지는 것을 구현하기 때문에 실제 녹내장 검사기와 비슷한 효과를 발휘한다. 모바일 앱과 블루투스로 연동해 다양한 색감을 표현한 빛 패턴을 보여주며, 이용자는 검사에 맞춰 색감인지를 구분하는 버튼을 누르기만 하면 된다.

삼성전자의 사내벤처 C랩(Creative Lab)은 2017년 8월 시각보조 애플리케이션 '릴루미노(Relumino)'를 공개하였다. 저시력자의 불편을 덜어주는 앱으로 갤럭시 스마트폰과 스마트폰에 호환되는 '기어 VR'이 있으면 되는데, 스마트폰 카메라로 받아들인 영상을 AR로 변환해 시각장애인이 인식하기 쉬운 상태로 바꿔준다. 굴절장애와 고도근시를 겪는 시각장애인에게 유용하다.

④ **이비인후과**

캐나다 Ottawa 대학은 평형기능을 담당하는 귓속 달팽이관에 이상이 있어 어지럼증을 호소하는 환자의 전정기능 재활(vestibular rehabilitation)을 위해 VR 활용 장비를 이용해 치료한다. 사람의 동작, 인지, 계획, 판단, 행동 등 각 단계의 데이터와 장애의 유무와 정도를 계측하는 것이 가능하며, 측정 결과를 이용해 적합한 재활치료를 계획하고 훈련시킬 수 있다.

⑤ **재활의학**

VirZOOM의 VR 바이크는 페달을 돌려 액티브모션 컨트롤로 VR 게임을 제공하고 사용자로 하여금 경주 트랙, 전쟁터, 떠오르는 하늘, 그림과 같은 시골풍경을 F1 드라이버, 탱크 사령관, 사이클 선수, 페가수스(Pegasus) 형태로 체험하게 한다.

스위스의 스타트업 마인드 메이즈(MindMaze)는 환자의 몸 동작을 디지털로 변환하는 모션 캡처 기술로 신경 재생을 촉진하는 VR 재활 플랫폼 'MindMotion Pro'를 선보였다. 뇌졸중과 외상성 손상(traumatic injury) 환자의 재활에 이용되는데, 팔을 들어 올리거나 손가락을 움직이는 연습을 도와주는 VR 기기로 팔을 움직일 수 없지만 시각적·청각적 피드백으로 동기를 부여해 환자가 반복적으로 행동을 연습할 수 있게 한다.

일본 Tsukuba대의 신체장애자를 위한 특수교육 대학과 FOVE는 'Eye Play the Piano'를 개발했는데, VR 헤드셋 FOVE에 '시선추적(Eye tracking)'기술을 적용해 장애 어린이가 피아노를 연주할 수 있다.

가천대 길병원은 2018년 1월 VR 기술을 외상 후 스트레스장애나 공황장애 치료에 접목하는 '가상현실 치료센터'를 개소해 VR을 이용한 자극에 외상 후 스트레스장애나 공황장애를 앓는 환자들을 반복적으로 노출해 익숙해지도록 돕는다.

분당차병원은 뇌졸중으로 팔을 잘 쓰지 못하는 환자 162명에게 게임방식의 VR 재활치료를 진행해 상당한 효과를 보고 있다. 환자를 VR로 치료하기 위해 컴퓨터와 VR용 안경·컨트롤러 등의 장비를 구비해 VR용 안경을 착용하면 사방으로 망망대해가 펼쳐지고, 바다 한 가운데에 떠 있는 배를 타고 있는 등 VR 프로그램이 바닷속을 배경으
로 해 재미와 환상을 심어준다.

분당서울대병원은 2014년 서울대공대와 공동연구로 마이크로소프트의 3차원 동작인식카메라 '키넥트'를 이용한 VR 치료 프로그램을 개발해 뇌졸중 환차 치료에 활용하였다. 상태가 비슷한 환자끼리 가상공간에서 대결을 벌이면서 치료를 이어가는 것은 물론 병원에 오지 않고도 집에서 로그인만 하면 언제 어디서나 재활을 이어갈 수 있게 하는 것을 목표로 하고 있다.

⑥ 정신건강의학과

정신건강의학과에서 VR은 트라우마 치료, 각종공포증 완화, 자폐증 치료 등 다양한 영역에서 적용되고 있다. Virtual Vietnam은 PTSD(외상 후 스트레스장애) 치료를 위해 VR을 최초로 이용한 솔루션으로, 1997년에 베트남 참전 군인들의 치료를 위해 조지아 공대에서 시도했다. VR은 정글을 헤치고 나가는 상황과 군용 헬리콥터를 타고 날아가는 두 가지 시나리오를 재현해 군인들이 실제 베트남에 있는 것처럼 느끼게 한다. 심리치료에 효과를 못 보던 환자들이 시험에 참여해, 효과를 보았다.

Virtual Iraq는 남가주대(UCS)의 정신과 전문의 Albert Rizzo 박사가 주도하여 2005년 이라크전 참전군인들의 PTSD 치료를 위해 개발하였다. 엑스박스의 전쟁게임 'Full Spectrum Warrior'의 개발환경을 재사용한다. 오락용으로 가상으로 전쟁의 긴장감을 즐기기 위해서 개발된 게임이 전쟁 참상을 겪은 군인들의 후유증을 치료하기 위해 활용됐다.

미시간대 병원은 장기 입원을 하고 있는 어린이들에게 지루함을 덜어주기 위해 오큘러스 리프트(Oculus Rift)를 이용해 병원 밖을 체험시킨다. 어린이용 프로그래밍 스쿨인 GameStart School과 입원 중인 어린이가 보통 어린이와 같은 체험과 감동을 얻는 것을 목적으로 한다.

Floreo는 자폐증 어린이의 스킬 개발을 지원하고 자립하는 것을 돕는 협동 시스템을 제공하는데, 지도를 맡은 사람은 렌즈에 애플 아이패드를 사용한다. VR 기반 치료는 개인 특성에 맞춰 관리, 조정이 가능해 학습능력 장애를 가진 어린이와 가족으로부터 호의적인 반응을 얻었다.

옥스포드대 연구팀은 고소공포증 환자들에게 2주간 4~6회 VR 치료 프로그램을 받게 하고, 환자들은 가상현실 속에서 높은 건물에 올라가 사과를 따거나 고양이를 구하는 등의 과제를 수행해 고소공포증 증상을 평균 68% 감소시키는 효과를 보았다.

일본 얀센파마(Janssen Pharmaceutical)는 2016년 5월 환청이나 망상을 유사 체험할 수 있는 장치 'Virtual Hallucination'을 개발하였다. 골판지로 만든 조립식 헤드셋과 앱을 설치한 스마트폰을 사용해 보여주는데, 영상은 상하좌우로 180도까지 머리를 움직이며 볼 수 있는데, 환청을 체험하고, 4가지 에피소드를 준비해 환자 가족들이 질환에 대해 깊은 이해를 하는 것을 돕고 있다.

⑦ 의학교육/시뮬레이션

Zspace는 의료 등 다양한 분야에서 교육의 질을 개선하기 위해 VR과 증강현실(AR: Augmented Reality)을 합친 혼합현실(MR: Mixed Reality)을 적용하고 있다. 의료분야에서는 4,600개 이상의 해부구조를 포함한 Human Anatomy Atlas가 있는데 남성과 여성의 신체의 주요 모든 장기와 체계를 망라하고 있다.

이스라엘의 3D기업 Simbionix의 VR 수술실(Operating Room)은 복강경(laparoscopic) 트레이닝을 위한 실감나는 세팅을 제공한다. 시뮬레이터에서 수련생들의 실습은 가상 OR팀, 환자, 장비, 실감나는 생활소음 등을 포함해 수술실 환경에 몰입하게 한다. 복잡한 수술을 준비하는 의사에 D2P SW, 3D 모델링 등을 제공한다.

Surgical Theater는 MRI나 CT 이미지를 바탕으로 3D 모델을 구축하는 'Precision VR'을 개발하였다. CT스캔이나 MRI 등에서 촬영한 영상을 입체화하고 의사가 VR 헤드셋을 착용해 몸의 내부를 돌아다니며 살펴볼 수 있는 기능을 갖추고 있어 질병의 진단, 수술 계획 및 예행연습, 의대생의 학습도구 등으로 사용된다.

Touch Surgery는 VR 환경에서 수술 교육할 수 있는 가능성을 보여주었다. 스마트폰이나 태블릿 컴퓨터용 '모바일 수술 훈련' 앱을 통해 흉부외과, 정형외과, 안과, 성형외과, 신경외과 등 다양한 진료과의 100여 가지의 수술의 과정을 3D 이미지와 터치스크린을 통해서 배울 수 있다.

BioDigital은 클라우드 기반 가상 3D 의료영상의 선구자로 해부와 질병치료를 위한 신체를 시각화해 진단 및 의학교육에 활용된다. 3D 영상을 통해 학생들은 몸 안의 장기를 상세하게 확인할 수 있고, 의사는 용이하게 3D 진단을 실현한다.

Open Simulator는 3D 기술을 이용해 헬스케어 교육과 병간호에 활용하고 있다. 가격이 저렴한복강경 수술 훈련 시뮬레이터를 개발해 수술 스태프를 양성하고 적절한 외과치료를 받지 못하고 있는 사람을 구할 수 있다.

Medical Augmented Intelligence는 VR 3D와 AR을 이용해 인터랙티브 인체 3D 모델을 제공하는데, 침구 치료의 시술자를 훈련하기 위한 것이다. 학생은 VR을 사용해 디지털화된 인체 위에 손을 움직여 근육이나 신경의 침구를 놓을 위치를 확인시킨다.

프랑스의 비지블 페이션츠(Visible Patients)사는 CT나 MRI 같은 2D 영상 이미지를 바탕으로 3D로 환자의 이미지를 생성한다. 수술 환자의 해부학적 구조를 3D 모델링하는 기술로 직접 수술할 특정 환자의 3D 모델을 만들고 VR을 통해 분석한다.

후지쓰(Fujitsu)는 2017년 9월 도쿄대와 심장 시뮬레이터를 개발하였다. 실제 MRI나 CT로 촬영한 심장 이미지에 기초해 슈퍼컴퓨터 '케이'로 심장박동을 심근세포에서부터 정밀하게 재현한다. 심장 시뮬레이터 출력 데이터를 콘텐츠로 이용해 심장 흥분전파를 360도 VR로 볼 수 있어 심전도가 흥분 전파과정에서 생성되는지 이해에 도움이 된다.

분당서울대병원의 VR 교육시스템은 수술 현장을 360도 카메라로 촬영해 외과, 정형외과 관련 VR 콘텐츠 3개를 제작해 수련의 교육에 활용하고 있다. 환자 안전을 위해 충분한 숙련도와 체험이 필요하고, 현장 교육에 제약이 큰 수술 분야에 도입하였다.

분야	국가	업체/기관	제품/서비스	내용
영상진단	미국	Bioflight	Bioflight VR	VR로 CT 스캔과 MRI 3D 이미지 봄
		EchoPixel	True 3D System	초음파, CT 스캔, MRI 3D 표준화
	일본	도쿄여의대	AR화상관리시스템	집도의가 의료용 화상관리시스템 조작
	한국	DGIST	AR이용로봇시스템	실제 수술도구와 가상 수술도구 표시
외과	미국	Microsoft	Hololens	척추수술 중 환부 위에 정보 오버레이
		CSII	Remote Surgery	원격조종 로봇 이용 원거리 환자 수술
		UCLA병원	뇌 진단/수술	뇌 진단이나 수술에 VR기술 활용
		Leica& Brainlab	CaptiView	AR 플랫폼 이용해 동맥류 수술
	일본	고베대병원	3D프린터와 VR	환자 몸 CT 촬영 후 3D 데이터로 변환
		국제의료복지대	홀로렌즈수술	홀로렌즈를 이용해 간, 전립선암 수술
	한국	분당서울대병원	AR골종양수술	태블릿PC를 사용해 골종양 AR 수술
안과	미국	Vivid Vision	약시/사시VR헤드셋	VR게임을 이용해 약시 및 사시 치료
	영국	Cambridge Consultants	스마트폰 녹내장 VR검사	모바일 앱과 블루투스로 연동해 다양한 색감 표현한 빛 패턴 보여줌
	한국	삼성전자 C랩	릴루미노	저시력자 불편 더는 시각보조 앱
이비인후과	캐나다	오타와대	어지럼증 재활장비	어지럼증 환자 전정기능 재활 VR 이용
재활의학	미국	VirZOOM	VR Bike	페달돌려 모션컨트롤 VR 게임 제공
	스위스	MindMaze	MindMotion Pro	모션캡쳐기술로 신경재생촉진 VR 재활
	일본	쓰쿠바대/FOVE	Eye Play the Piano	VR 헤드셋 착용해 장애아 피아노 연주
		mediVR	VR재활프로그램	VR을 이용해 보행훈련 체간 균형 유지
	한국	가천대길병원	VR치료센터	VR을 이용해 편측무시환자 재활치료
		분당차병원	VR게임재활	뇌졸중환자를 VR게임 이용해 재활치료
		분당서울대병원	VR치료실	뇌졸중환자 재활 위해 키넥트 VR 치료
정신과	미국	조지아공대	Virtual Vietnam	베트남전참전군인 외상 후 스트레스 치료
		USC의대	Virtual Iraq	참전군인 PTSD 치료에 Xbox게임 활용
		Virtual Better	BraveMind	Virtual Iraq 업그레이드해 PTSD 치료
		Psious	VR 공포증 치료	VR 상상력으로 공포나 두려움 완화
		미시간대 의대	어린이 VR 치료	오큘러스 리프트 병원 밖 체험
		휴스턴대병원	VR 알코올중독치료	VR을 이용해 알코올중독환자 치료
		USC의대	심리상담시뮬레이터	환자 표정에서 감정정보를 파악
		Floreo	VR 자폐증 치료	VR 이용해 자폐증 어린이 자립심 도움
		스탠포드의대	VR 전환장애 치료	VR로 심리갈등, 부담감 전환장애 치료

[표 7] VR 의료 적용 현황

분야	국가	업체/기관	제품/서비스	내용
의학교육/ 시뮬레이션	미국	Zspace	해부학 VR	MR로 인체 해부구조 장기/체계 교육
		LA소아병원	AiSolve	VR 시뮬레이션으로 수술과정 재현
		Simbionix	VR 수술실	복강경 트레이닝 등 VR 솔루션 제공
		ImmersiveTouch	VR 시뮬레이션	VR 이용 감염관리, 응급상황 수술 교육
		Renznick	OSATS	인체모형을 VR 이용해 모델링화 교육
		Touch Surgery	VR 시뮬레이션	수술과정 3D이미지와 터치스크린 배움
		Virtual Graphics	3D 그래픽	HTC Vive로 인간 몸안을 3D로 관찰
		BioDigital	3D 의료 영상	해부와 질병치료를 위한 신체 시각화
		OSSO VR	VR 시뮬레이션	시뮬레이션 통해 의료장비 사용 교습
		스탠포드대의대	수술 시뮬레이션	햅틱, 3D 수술 시뮬레이션 환경 도입
		네브라스카의대	VR 의료 교육	VR을 이용해 의사와 간호사 교육
	영국	킹스칼리지	HapTEL	햅틱기술 VR 이용해 치과의사 교육
	프랑스	Visible Patients	3D 모델링	CT, MRI 이용해 3D 환자 이미지 생성
		다쏘시스템	3D 시뮬레이션	인간의 심장 혈관을 VR로 모방 수술
	스위스	VertaMed	외과시뮬레이터	의료훈련용 고실감 외과수술 이용
	일본	Holoeyes	VR 인체 장기	CT로 스캔한 인체장기 VR 모델 축적
		후지쓰	심장 뷰어	3D 입체 VR로 보여주며 심전도 강의
		국제의료복지대	OsiriX	의료용 무료공개 SW 3D 동영상
	한국	분당서울대병원	VR 교육시스템	의료진 및 의대생 교육에 VR 이용
		네비웍스	의료 VR	전문의 수술훈련 VR 서비스 플랫폼

[표 8] VR 의료 적용 현황

4) 교육/미디어

가) 교육

미 포브스지 크리스 콜로 교육위원회 멤버인 크리스 콜로는 VR이 시각 자료를 선호하는 학생들의 요구를 충족시키거나 학습 능력이 떨어지는 학생들에게 도움이 될 수 있다고 밝혔다. 교육자들은 VR 교육 프로그램을 도입해 학생들의 수업 집중도나 시험 성적을 향상시킬 수 있다. 또한 VR 교육 프로그램은 학생들의 인지 기억개선에도 도움이 된다.

학생들은 가상의 환경에서 자신의 능력을 평가해 보고 VR 환경을 통해 전문가와 상호 작용할 수도 있다. 최근 한 조사에 따르면 교사 중 93%가 학생들이 수업에 VR을 활용하는 것을 선호한다고 밝혔으며 83%는 VR이 학생들의 학업 성취도 개선에 도움이 된다고 답했다.

'마블러스'는 국내 최초로 가상현실 실사 기반의 어학 시뮬레이션 콘텐츠, '스피킷(SPEAKIT)'을 개발한 기업이다. 외국어를 습득하는 가장 좋은 방법은 그 나라에 가서, 직접 사람들과 부딪히면서 언어를 배우는 것이다. 그런데 해외 연수나 유학은 비용도, 시간도 많이 들고, 누구나 갈 수도 없다.

[그림 67] 마블러스의 스피킷

'마블러스'의 '스피킷'은 이런 갈증을 해소한 실감형 콘텐츠다. 해외에서 쇼핑하기, 입국심사, 비즈니스 회화! 100편이 넘는 다양한 에피소드를 360도 가상현실로 담은 '스피킷'에 접속하면 1초 만에 뉴욕, 런던, LA, 시드니 같은 해외로 이동해서 실제 상황을 직접 경험하게 된다. 특히 '스피킷'의 콘텐츠는 모두 원어민에 90% 이상이 해외에서 직접 촬영한 실사 영상으로 학습 효과는 기존 방식보다 3배, 몰입도는 5배 가량 증가한다.

'스피킷'은 경험으로만 끝나지 않는다. 가상으로 해외를 다니면서 원어민과 대화를 하면 이용자 답변 음성 인식을 통해서 VR 속의 인물 반응이 달라지고, AI로 피드백 된다. 감성 AI 기술을 접목한 솔루션도 '마블러스'만의 강점이다.35)

최근 KT가 전국 31개 지역아동센터의 긴급 돌봄 아동을 대상으로 가상현실(VR) 기술을 활용한 '비대면 ICT 체험 교육'을 진행했다. 비대면 ICT 체험 교육은 KT의 화상 회의 시스템인 'KT 화상회의 2.0'을 이용한 실시간 쌍방향 수업이다. 온라인 개학으로 발생한 취약계층 아이들의 학습 공백을 보완하기 위해 마련했다. KT는 'ICT로 미래를 꿈꾸다'를 주제로 아이들이 쉽게 질리지 않고 집중할 수 있는 프로그램으로 구성했다고 밝혔다. 교육 과정은 'AR(증강현실)로 아동센터에 동물 기르기', 'VR 콘텐츠 제작하기', '1인 크리에이터 도전하기' 등 IT 기기를 활용한 놀이 형태의 체험 교육을 중심으로 구성했다. 학생들은 KT IT서포터즈 선생님의 원격 강의를 듣고 현장에서 체험 키트를 이용해 직접 결과물을 만든다. 수업 중 선생님과 실시간으로 질문을 주고받을 수도 있다.36)

서초구는 공사장 내 안전사고 예방을 위해 가상현실(VR) 콘텐츠로 건축 관계자들의 안전교육 실시했다. VR 안전교육은 추락, 낙하 등 실제 공사장 현장에서 벌어질 수 있는 사고 형태를 VR 고글 화면을 통해 체험할 수 있도록 제작됐다. 가상현실 속 공사장 현장에서는 고층에서 추락하고, 타워크레인에서 철근 자재가 떨어지며, 용접 화재가 발생하는 등 총 3가지 사고가 일어난다. 이는 최근 정부와 서울시에서 발표한 공사장 내 안전사고 중에 가장 빈번한 유형이다. 고글을 쓰고 진행되는 교육은 예를 들어 추락 사고의 경우 아래로 떨어지는 장면을 체험한 후 다시 작업발판 위로 돌아와 안전 그네와 로프, 고리 등으로 구성된 안전대를 착용했는지, 안전 방망이 설치됐는지, 작업발판이 고정됐는지 점검하는 등 안전대책에 대한 화면을 보는 것으로 이어진다.37)

[그림 68] 가상현실(VR) 안전교육 중 용접 화재 사고

35) VR과 교육 결합해 1초 만에 떠나는 해외연수'마블러스', 한국경제, KBS World radio, 2020.05.04
36) KT, 소외 아이들 VR기반 '비대면 체험 교육' 진행, 최용석, IT 조선, 2020.05.20
37) 서초구, 가상현실 체험으로 공사장 안전사고 막는다, 경향신문, 2022.02.07

국립중앙도서관은 실감콘텐츠 체험관인 디지털도서관 '실감서재' 개관 행사를 열고 VR 도서관과 수장고 체험 등을 공개했다. '실감서재'에 들어서면 VR기기를 통해 책을 읽을 수 있는 'VR도서관' 자리가 준비돼 있다. 가상현실에 접속하기 위한 HMD(Head Mounted Display)를 머리에 쓰고 내가 원하는 가상 공간을 선택한 후 책을 읽거나 오디오북을 들을 수 있어 흥미롭다. '실감서재'에서는 VR 도서관을 비롯해 다양한 자료를 검색하고 공유할 수 있다. 미래 도서관의 수장고 모습을 기술로 구현한 자료 검색의 공간과 국립중앙도서관이 소장하고 있는 고지도를 고해상도로 살펴볼 수 있다. 또한, 실제 책 위에 터치를 통해 고도서 번역정보와 생동감 넘치는 멀티미디어 정보를 실감형 콘텐츠로 제공하는 디지털북을 만나게 된다. 최근 국가중요과학기술자료로 등록된 허준의 '동의보감(東醫寶鑑)'과 한국의 전통 무예를 도해와 함께 설명한 '무예도보통지(武藝圖譜通志)' 등 실물로 보기 어려운 국보급 자료들을 프로젝션 맵핑 기술로 구현해 생동감 있는 콘텐츠로 감상할 수 있게 했다.38)

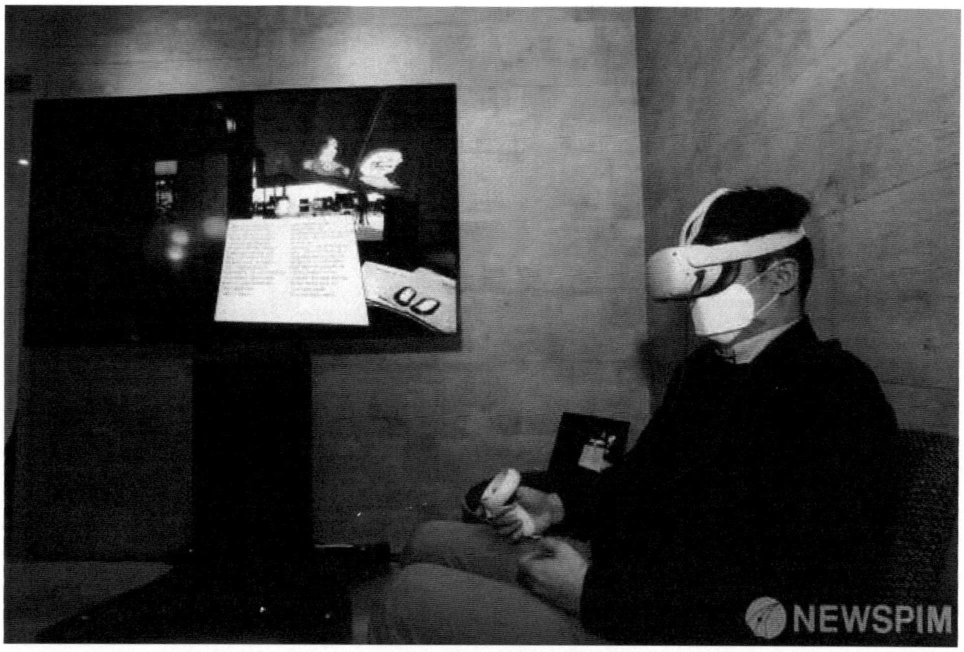

[그림 69] 실감서재 체험

38) 영화 속 장면이 현실로…국립중앙도서관 '실감서재'서 VR 독서한다, 뉴스핌, 2021.03.22

나) 시뮬레이션

가상현실은 저렴한 비용에 고품질의 훈련이 가능하기 때문에 군사 및 훈련용 시뮬레이터 개발에 활용되어 왔다. 시뮬레이션은 현실과 유사한 훈련이 가능해 다양한 교육 및 훈련 용도로 VR 기술의 적용이 증가하고 있다. 현재는 파일럿 육성 및 특수한 분야에서만 주로 사용되나, VR 기술의 발달로 현재 활성화되어 있는 분야에서 보다 고도화된 시뮬레이션이 가능해져, 시장이 빠르게 성장할 것으로 예상된다.

가상현실(VR) 기술 기반의 안전교육 전문기관인 대한안전교육협회가 전라남도 학생교육원 유달 학생수련장에 안전체험 교육시설을 공급하며, 가상/비대면 교육환경을 전국에 걸쳐 확대하고 있다. 유달 학생수련장 내 연면적 563.94 평방미터 규모에, 생명구출 체험, 위기탈출 체험, 화재대응 체험, 완강기 체험 등 4개의 체험동과 11개의 세부 프로그램으로 구성됐다.[39]

남동소방서는 코로나19 종식 후 대시민 소방안전교육 강화를 위해 가상현실(VR) 체험교육을 준비하고 있다고 밝혔다. 가상현실(VR) 체험교육은 소방청에서 제작한 공장 화재 대피 등 9개 프로그램으로 구성된다. 소방서는 안전한 교육환경을 제공하기 위해 소방안전체험장 내부 정기소독과 체험 운영 물품(체험방화복, 헬멧, 의자 등) 세탁、소독, 손 소독제 비치 등 만반의 준비를 하고 있다.[40]

경남도가 전국에서는 처음으로 'VR(가상현실) 전용 재난안전체험차량'을 운영한다. 경남 곳곳을 직접 찾아가 도민들에게 가상현실 기반의 안전체험교육을 제공한다. 경남도는 3억8000만원을 들여 8.5t 트럭을 개조해 가상현실(VR) 재난체험차량을 제작했다고 27일 밝혔다. 이번 사업은 시·공간의 제약 없이 현실감 높은 재난상황을 안전하게 체험하고, 실제 재난 발생 시 도민들의 대응능력을 높이기 위해 추진됐다.

이번 재난안전체험차량은 가상현실을 통한 각종 사고 체험 및 재난유형별 매뉴얼에 따른 안전수칙을 자연스럽게 익히도록 구성돼 있다. 또 현실에서 직접 경험하기 어려운 재난 상황을 실제와 같이 연출해 체험자가 재난상황의 대처방법과 순서를 배울 수 있도록 했다. 아파트, 학교, 백화점의 장소를 배경으로 한 화재·지진대피, 선박안전, 미세먼지, 교통안전, 지하철 화재 탈출 등 10종류의 VR콘텐츠가 구축돼 있다. 6명이 동시에 체험할 수 있다.[41]

---

39) 전남 유달 학생수련장에 구축된 대한안전교육협회 VR 안전체험 교육시설, 김영우, IT 동아, 2020.05.22

40) 남동소방서, 119소방안전체험장 가상현실(VR) 체험교육 준비, 119뉴스팀, FPNdaily, 2020.05.20

41) "가상현실로 안전체험 해보세요"...경남 전국 첫 VR전용 재난안전체험차량 운영, 김준호, 조선일보, 2020.04.27

5) 기타 산업

가) 자동차 산업

자동차업계에서 VR의 적용은 디자인, 안전, 구매의 프로세스를 바꿨다. 디자이너들과 엔지니어들은 VR을 통해 자동차가 어떤 모습이고 어떻게 기능할지 여러 모델을 구축하지 않고도 검사할 수 있다. 가상으로 외부환경을 복제할 수 있어 실제 테스트를 하는데 드는 시간과 노력을 쏟지 않고도 자동차에서 실시하는 안전시험이 가능해졌다.

최근 도로 교통 상황을 가상현실 기술로 실제와 같이 구현해 사고위험성과 운전자의 행동을 미리 분석할 수 있는 가상현실(Virtual Reality) 시뮬레이션 솔루션인 'UC-win/Road' 가 개발되었다.

UC-win/Road는 게임엔진이 아닌 시뮬레이션에 특화된 자체 엔진을 탑재한 것이 특징이다. 이미 출시된 VISSIM 실시간 연결 플러그인, MATLab/Simulink 플러그인, BIM설계 지원 플러그인, 시공 관리 플러그인, HMD장비 연결 플러그인 등 다른 소프트웨어와 연계성이 뛰어나다.

또한 인터페이스 개발로 새로운 하드웨어와 연결해 사용자의 특성에 부합하는 '맞춤형 VR테스트 시스템 구축'이 가능한 것이 차별화된 점이다. 이를 기반으로 원하는 기능을 추가 할 수 있는 SDK가 제공돼 향후 플랫폼을 다시 구축하는 비용을 절감할 수 있다.

다양한 분야에서 활용되고 있는 UC-win/Road는 실제 실험을 할 때, 시간, 비용, 위험 부담 등의 이유로 현실에서 제약사항이 많은 도로교통, 자율자동차, 피난·대피 등의 테스트를 VR시뮬레이션으로 대체하고 있다.

특히 도로 분야에서는 모의주행 VR시뮬레이션을 이용해 도로선형 설계안의 타당성 검토와 대안 선정에 적용 중이다. 또한 운전자의 행태를 분석하거나 교통안전 분석을 위한 용도에도 활용될 수 있다. 인천공항 제2터미널 개항 전 교통안내체계 분석, 삼성역 디스플레이 광고판이 운전자에게 미치는 영향 분석, 서울-춘천 고속도로의 갓길차로제 주행안전성 분석 사례가 대표적으로 손꼽힌다. 최근에는 도로 경관에 대한 관심이 높아지면서 VR시뮬레이션으로 나무의 위치 조정 등 경관의 배치에도 활용되고 있다.[42]

---

42) 시뮬레이션으로 실제 도로 미리 주행, 전찬민, 공학저널, 2020.05.22

나) 부동산/ 건축 산업

국내 온·오프 통합 부동산 세일즈 플랫폼 집뷰(zipview)는 2015년 국내 최초 가상현실기술에 기반을 둔 실감형(AR,VR) 부동산 콘텐츠 솔루션을 만들었다. 평면도, 입면, 자재정보를 넣으면 실사 수준의 공간을 가상현실로 구현해주는 서비스다.

집뷰는 실감형 콘텐츠 구축 서비스와 구축된 콘텐츠를 배포하는 유통 서비스가 결합한 부동산 세일즈 플랫폼이다. 플랫폼에 건물의 기본정보를 입력하면 실감형 콘텐츠(AR, VR)로 제작해 분양이 이뤄지는 웹, 앱, 키오스크 등에 콘텐츠를 배포한다. 여기에 얼마 전 인력을 매칭해주는 집뷰 RA(Realty Advisor) 서비스를 더 했다. 집뷰 RA는 전문화된 관리 시스템, 체계적인 교육을 이수한 공간 세일즈 전문 어드바이저를 원하는 인원과 기간에 맞게 분양 사업지에 매칭하는 솔루션이다.[43]

[그림 150] 집뷰

직방은 가상현실(VR), 빅데이터 등 기술을 기반으로 한 '모바일 모델하우스' 분양 서비스를 제공한다고 밝혔다. 최근 분양 시장은 코로나19 사태로 빠르게 얼어붙고 있다. 업체가 분양을 위해서는 필연적으로 모델하우스를 개관해야 하는데, 최근 코로나19 여파로 집단감염에 대한 우려가 커지고 있다 보니 모델하우스를 여는 데 어려움을 겪고 있기 때문이다. 이에 직방은 대면하지 않고도 모델하우스에 접근할 수 있는 서비스 마련에 나섰다. 직방은 모바일 모델하우스에 신규 분양 아파트의 면적별 유니트를 VR 기술을 통해 제공하고, 직접 사업지를 찾아 교통 환경부터 학군, 편의시설 등의 입지를 체험한 유튜브 콘텐츠도 넣었다. 또 부동산 전문가들과 해당 입지의 가치 등을 분석한 인터뷰도 담았다.[44]

---

43) "두달 뒤 부술 모델하우스, 왜 지어요?" 실감형 부동산 콘텐츠 '집뷰', 코로나 맞아 퀀텀 점프, 황정옥, 동아일보, 2020.05.15

44) 직방, VR·빅데이터 등 비대면 기술 활용한 '모바일 모델하우스' 서비스 제공, 김충범, 아주경제, 2020.05.18

[그림 151] 직방의 모바일 모델하우스

최근 두산건설이 경기도 광주시 탄벌동에서 선보이는 '두산위브 광주센트럴파크'에 업계 최초로 언리얼 엔진으로 구축한 메타버스를 적용했다. 두산건설에 따르면 이번 메타버스 도입은 코로나19로 견본주택 관람이 제한돼 있는 주택 수요자에게 주거 공간의 가상현실 체험을 제공함으로써 소비자의 이해를 돕기 위해 마련됐다. 또한 사이버 견본주택은 가상현실(VR)을 통해 시간과 공간의 제약 없이 언제 어디서나 모바일 기기를 통해 실제로 견본주택을 방문한 듯한 생생한 관람이 가능하다. 수요자들은 해당 사업장의 공식 홈페이지를 통해 메타버스 프로그램의 내려 받기도 가능하다. PC 접속 시에는 'QR코드 스캔'를 통해, 모바일 접속 시에는 '다운로드 서버 바로가기'를 클릭하면 된다. 프로그램 설치를 완료하면 손쉬운 조작으로 미래의 내 집을 체험해 볼 수 있다.45)

45) "가상현실로 내 집 미리 본다"…두산건설, '두산위브 광주센트럴파크' 업계 첫 메타버스 도입, 매일경제, 2022.02.05

04

가상현실 시장 동향

4. 가상현실 시장 동향[46)]

가. 국외 시장 동향

전 세계 가상 현실 시장은 2020년 61억 2,700만 달러에서 연평균 성장률 27.9%로 증가하여, 2025년에는 209억 3,100만 달러에 이를 것으로 전망된다.

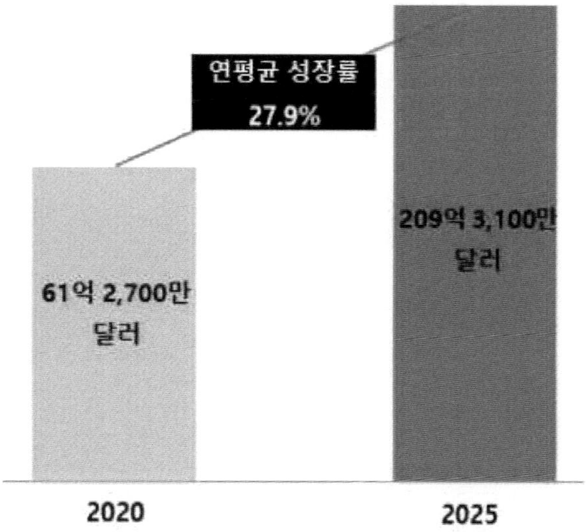

[그림 153] 글로벌 가상 현실 시장 규모 및 전망

글로벌 컨설팅기업 프라이스워터하우스쿠퍼스(PwC)는 증강현실(AR)과 가상현실(VR) 시장 규모가 2019년 455억 달러(약 52조원)에서 2030년 1조5429억 달러(약 1767조원)까지 커질 것으로 전망했다.[47)]

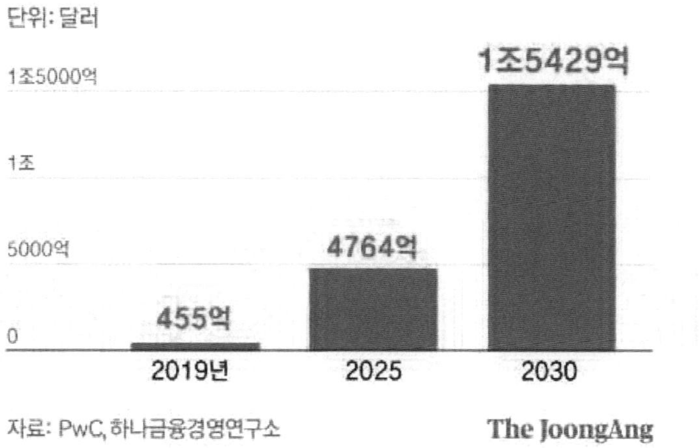

[그림 154] 가상현실(VR)· 증강현실(AR) 시장 규모

46) 가상 현실 시장, 연구개발특구진흥재단, 2021.03
47) 은행장 아바타를 찾아라…MZ세대 잡으러 메타버스 탄 은행, 중앙일보, 2021.07.13

나. 국내 시장 동향48)49)

우리나라의 가상 현실 시장은 2020년 3억 2,000만 달러에서 연평균 성장률 29.6%로 증가하여, 2025년에는 11억 7,300만 달러에 이를 것으로 전망된다.

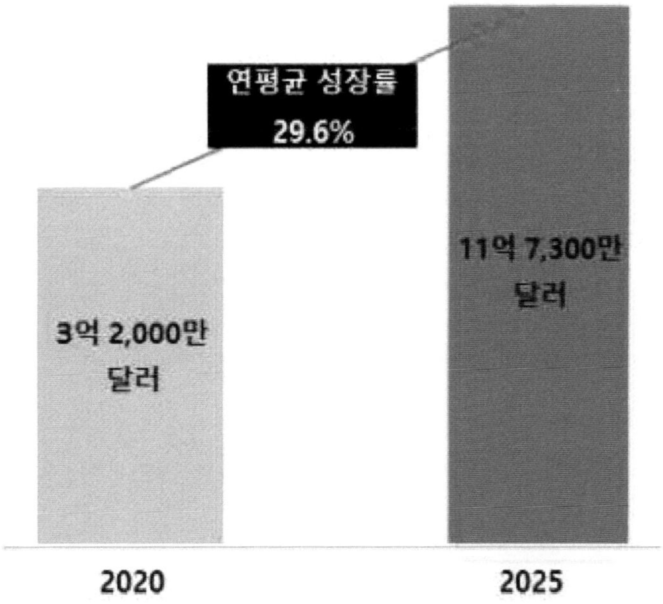

[그림 155] 우리나라의 가상 현실 시장 규모 및 전망

가상현실과 관련된 실감 산업을 함께 살펴보자면, Statista, Digi-Capital, 한국콘텐츠진흥원의 자료를 기반으로 예측된 국내 실감 산업 규모는 연평균 성장률 76%를 기록하며 2023년 57,600억 원에 달할 것으로 전망된다.

년도	2019(E)	2020(E)	2021(E)	2022(E)	2023(E)	CAGR(%)
실감 산업 규모	6,048	16,200	32,400	46,800	57,600	76

[표 9] 국내 실감콘텐츠 시장규모

Digi-Capital, Goldman Sachs, ECORYS 등을 활용 하여 추정된 실감산업 분야별 비율은 하드웨어의 경우 2023년까지 지속적으로 감소할 전망이며, 소프트웨어는 하드웨어와 반대로 증가할 전망이다. 콘텐츠의 경우 2023년까지 약 28%로 유지될 것으로 예상된다. 이를 통해 과거 하드웨어 중심으로 성장하던 실감 콘텐츠 산업이 향후 소프트웨어와 콘텐츠를 이용하여 성장 할 것이라는 것을 의미한다.

48) 가상 현실 시장, 연구개발특구진흥재단, 2021.03
49) 5G시대, 실감산업 육성 방안 연구, SPRI, 2020.01

년도	2019(E)	2020(E)	2021(E)	2022(E)	2023(E)
하드웨어	0.55	0.51	0.47	0.42	0.35
소프트웨어	0.15	0.20	0.25	0.30	0.38
콘텐츠	0.30	0.29	0.28	0.28	0.27

[표 10] 국내 실감콘텐츠 산업 분야별 비율

통계청 자료를 바탕으로 실감형 콘텐츠 제작 소프트웨어 시장 규모를 추정해보도록 하자. 실감형 콘텐츠 제작 소프트웨어는 VR(가상현실), AR(증강현실), MR(혼합현실)로 대표되는 실감형 콘텐츠의 제작을 위한 엔진(Engine), 시뮬레이터 등 콘텐츠 제작에 최적화된 소프트웨어를 의미하며, 콘텐츠 제작을 위한 엔진과 특정 산업의 시뮬레이터 구성에 필요한 가상 모델링 디자인 기술 및 영상 합성 기술 등으로 구성된다.

국내 실감형 콘텐츠 제작 소프트웨어 시장은 2013년 512억 원에서 연평균 27.3% 성장하여 2016년 1,057억 원 규모의 시장을 형성하였으며, 2016년 이후 연평균 273%의 성장률을 보이면서 2022년에는 4,495억 원의 시장규모를 형성할 것으로 전망되고, HMD·디스플레이·5G 인터넷 등 기술의 고도화로 응용 서비스 범위가 확산될 수 있으며, 단말 개발에 집중하던 추세에서 벗어나 콘텐츠 및 플랫폼 구축 등 소프트웨어 시장 중심으로 경쟁 구도가 변화하는 중인 성장기 산업이다.50)

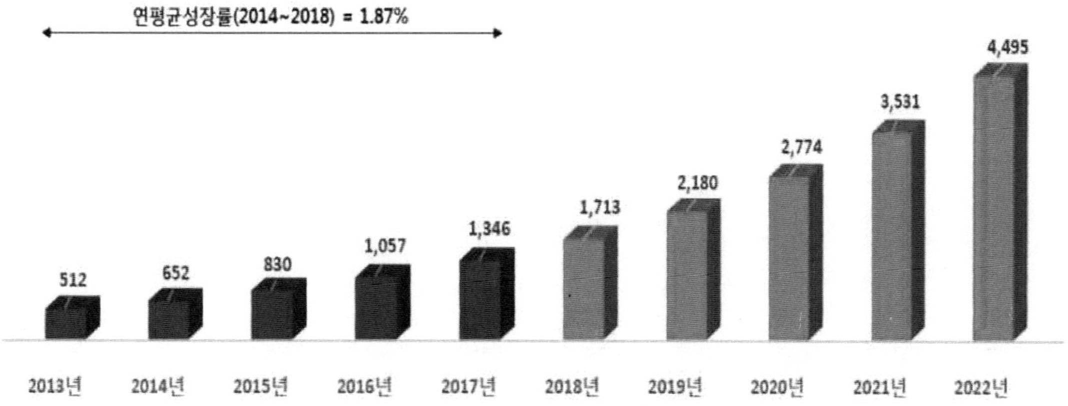

[그림 156] 국내 실감형 콘텐츠 제작 소프트웨어 시장 규모 (단위 : 억 원)

50) 위지윅스튜디오, 한국IR협의회, 2021.07.29

다. 세부항목별 시장 동향[51)]

1) 기술별

전 세계 가상 현실 시장은 기술에 따라 반 몰입형 및 완전 몰입형, 비 몰입형으로 분류된다. 반 몰입형 및 완전 몰입형은 2020년 55억 9,600만 달러에서 연평균 성장률 29.1%로 증가하여, 2025년에는 200억 9,700만 달러에 이를 것으로 전망되며, 비 몰입형은 2020년 5억 3,000만 달러에서 연평균 성장률 9.5%로 증가하여, 2025년에는 8억 3,300만 달러에 이를 것으로 전망된다.

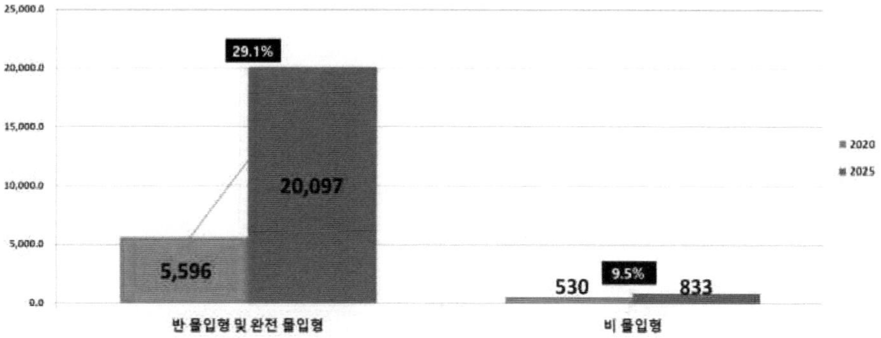

[그림 157] 글로벌 가상 현실 시장의 기술별 규모 및 전망 (단위: 백만 달러)

2) 제공 형태

전 세계 가상 현실 시장은 제공 형태에 따라 소프트웨어 및 하드웨어로 분류된다. 소프트웨어는 2020년 40억 9,400만 달러에서 연평균 성장률 22.3%로 증가하여, 2025년에는 112억 100만 달러에 이를 것으로 전망되며, 하드웨어는 2020년 20억 3,300만 달러에서 연평균 성장률 36.8%로 증가하여, 2025년에는 97억 3,000만 달러에 이를 것으로 전망된다.

51) 가상 현실 시장, 연구개발특구진흥재단, 2021.03

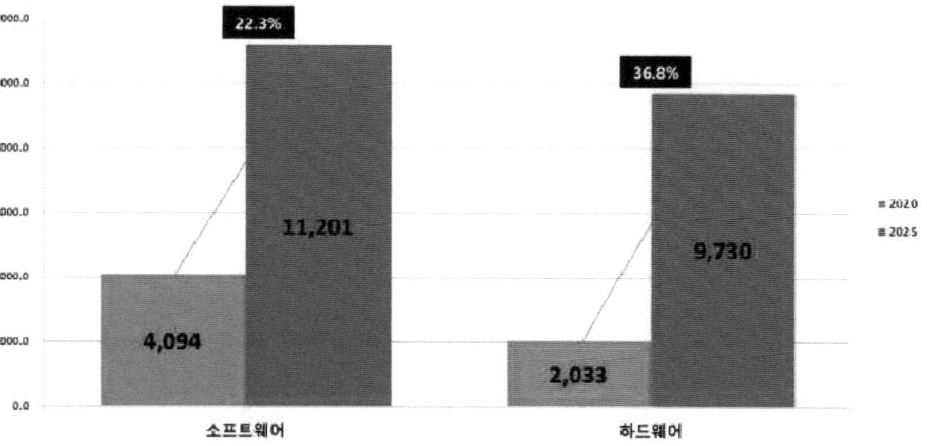

[그림 158] 글로벌 가상 현실 시장의 제공 형태별 규모 및 전망 (단위: 백만 달러)

3) 하드웨어

전 세계 가상 현실 시장은 하드웨어에 따라 디스플레이 및 프로젝터, 카메라, 반도체 부품, 센서, 위치 추적기, 기타로 분류된다. 디스플레이 및 프로젝터는 2020년 7억 2,100만 달러에서 연평균 성장률 38.2%로 증가하여, 2025년에는 36억 4,100만 달러에 이를 것으로 전망되며, 카메라는 2020년 4억 6,700만 달러에서 연평균 성장률 37.1%로 증가하여, 2025년에는 22억 6,400만 달러에 이를 것으로 전망된다. 반도체 부품은 2020년 3억 4,800만 달러에서 연평균 성장률 35.3%로 증가하여, 2025년에는 15억 7,300만 달러에 이를 것으로 전망되고, 센서는 2020년 3억 1,700만 달러에서 연평균 성장률 36.0%로 증가하여, 2025년에는 14억 7,500만 달러에 이를 것으로 전망된다. 다음으로 위치 추적기는 2020년 1억 500만 달러에서 연평균 성장률 38.1%로 증가하여, 2025년에는 5억 3,000만 달러에 이를 것으로 전망되고, 마지막으로 기타는 2020년 7,500만 달러에서 연평균 성장률 27.2%로 증가하여, 2025년에는 2억 4,900만 달러에 이를 것으로 전망된다.

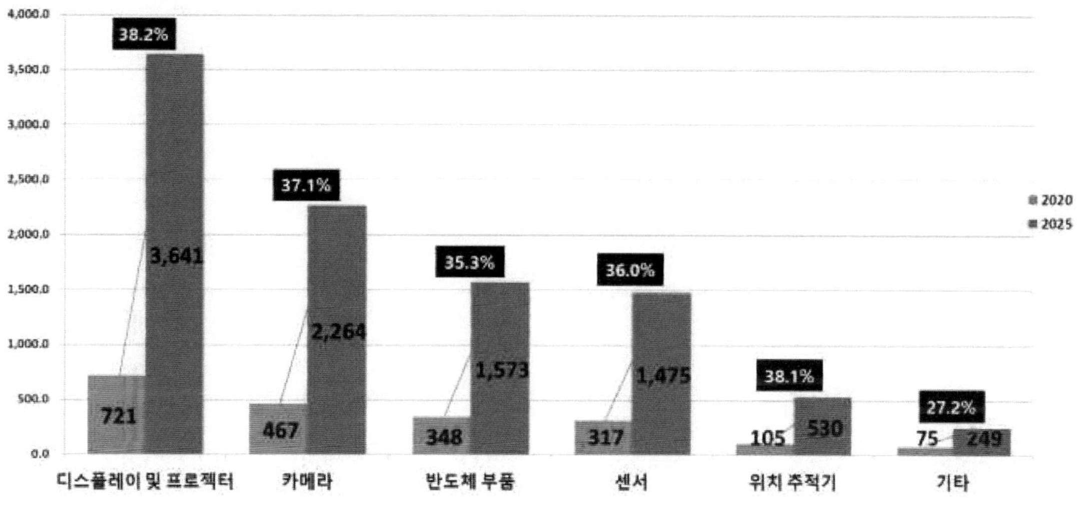

[그림 159] 글로벌 가상 현실 시장의 하드웨어별 규모 및 전망 (단위: 백만 달러)

4) 디바이스 유형

전 세계 가상 현실 시장은 디바이스 유형에 따라 헤드 마운트 디스플레이(HMD), 프로젝터 및 디스플레이 월, 제스처 추적 디바이스로 분류된다. 헤드 마운트 디스플레이 (HMD)는 2020년 14억 600만 달러에서 연평균 성장률 38.6%로 증가하여, 2025년에는 71억 9,800만 달러에 이를 것으로 전망되며, 프로젝터 및 디스플레이 월은 2020년 3억 7,200만 달러에서 연평균 성장률 23.5%로 증가하여, 2025년에는 10억 6,900만 달러에 이를 것으로 전망된다. 마지막으로 제스처 추적 디바이스는 2020년 2억 5,400만 달러에서 연평균 성장률 41.9%로 증가하여, 2025년에는 14억 6,200만 달러에 이를 것으로 전망된다.

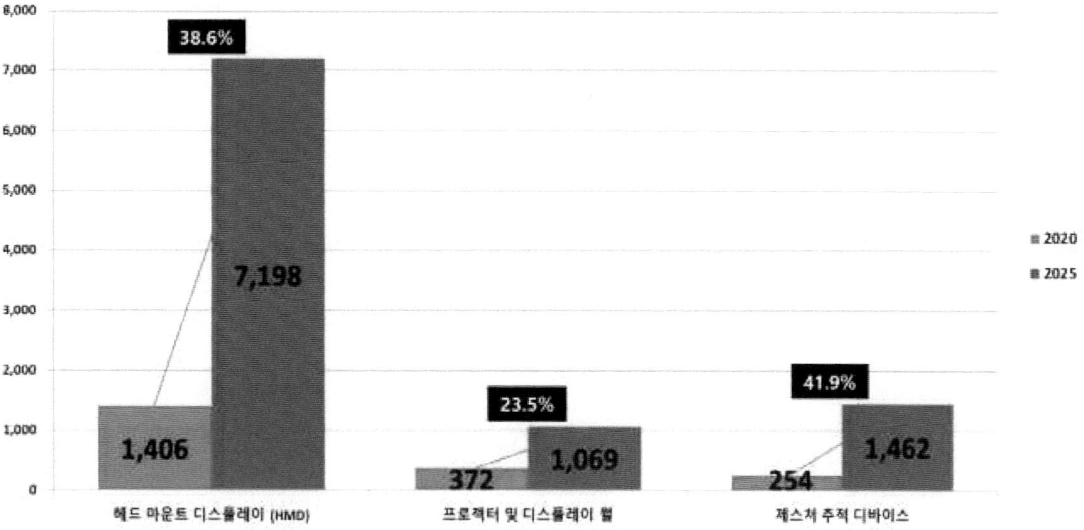

[그림 160] 글로벌 가상 현실 시장의 디바이스 유형별 규모 및 전망 (단위: 백만 달러)

5) 용도별

전 세계 가상 현실 시장은 용도에 따라 소비자, 기업, 상업, 헬스 케어, 항공 우주 및 방위, 기타 용도로 분류된다. 소비자는 2020년 33억 4,900만 달러에서 연평균 성장률 24.2%로 증가하여, 2025년에는 98억 9,300만 달러에 이를 것으로 전망되며, 기업은 2020년 9억 5,500만 달러에서 연평균 성장률 32.5%로 증가하여, 2025년에는 38억 9,800만 달러에 이를 것으로 전망된다. 상업은 2020년 8억 8,400만 달러에서 연평균 성장률 32.2%로 증가하여, 2025년에는 35억 6,600만 달러에 이를 것으로 전망되고, 헬스 케어는 2020년 5억 2,300만 달러에서 연평균 성장률 33.3%로 증가하여, 2025년에는 21억 9,900만 달러에 이를 것으로 전망된다. 다음으로 항공 우주 및 방위는 2020년 2억 1,600만 달러에서 연평균 성장률 29.8%로 증가하여, 2025년에는 7억 9,500만 달러에 이를 것으로 전망되며, 마지막으로 기타 용도는 2020년 2억 달러에서 연평균 성장률 23.7%로 증가하여, 2025년에는 5억 7,900만 달러에 이를 것으로 전망된다.

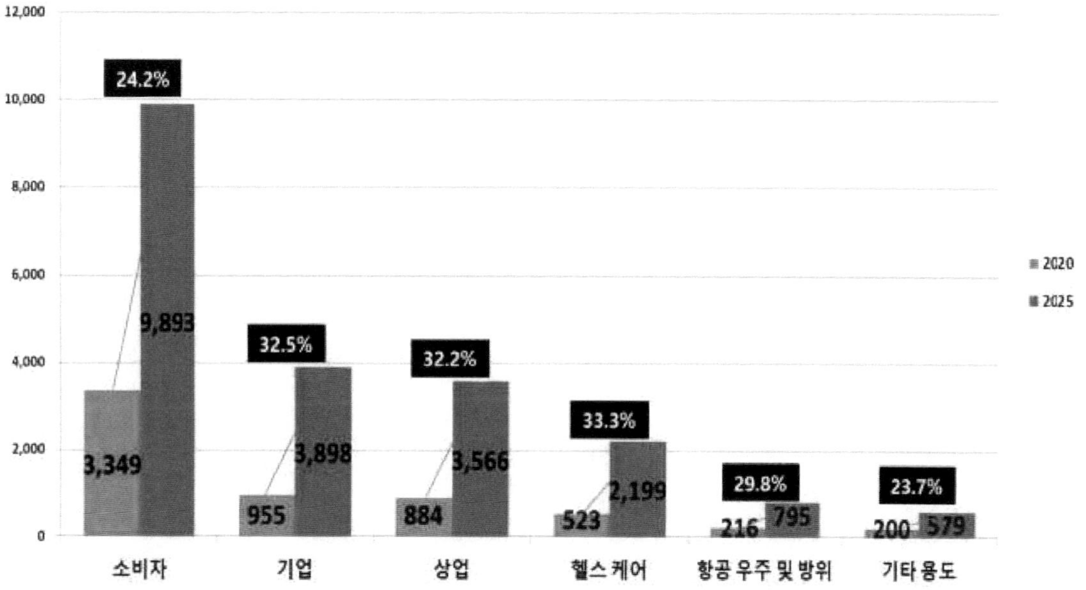

[그림 161] 글로벌 가상 현실 시장의 용도별 규모 및 전망 (단위: 백만 달러)

6) 플랫폼

전 세계 가상 현실 시장은 플랫폼에 따라 PC, 모바일 기기, 콘솔로 분류된다. PC는 2016년 32억 8,000만 달러에서 연평균 성장률 48.89%로 증가하여, 2021년에는 240억 달러에 이를 것으로 전망되며, 모바일 기기는 2016년 31억 2,000만 달러에서 연평균 성장률 50.32%로 증가하여, 2021년에는 239억 5,000만 달러에 이를 것으로 전망된다. 마지막으로 콘솔은 2016년 12억 7,000만 달러에서 연평균 성장률 45.14%로 증가하여, 2021년에는 81억 8,000만 달러에 이를 것으로 전망된다.

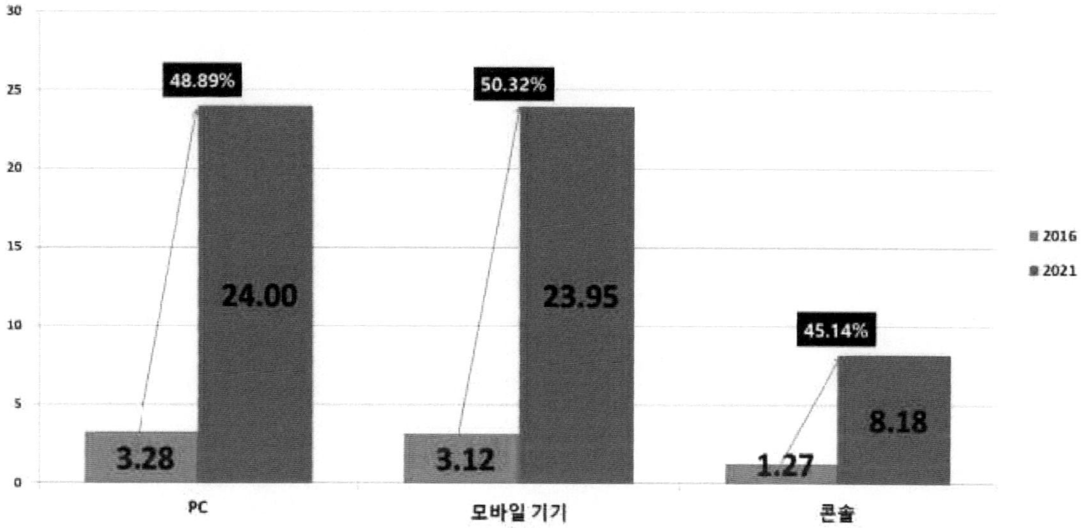

[그림 162] 글로벌 가상 현실 시장의 플랫폼별 규모 및 전망 (단위: 십억 달러)

라. 지역별 시장 동향[52)]

전 세계 가상 현실(VR) 시장을 지역별로 살펴보면, 2019년을 기준으로 북아메리카 지역이 35.0%로 가장 높은 점유율을 나타내었다. 북아메리카 지역은 2020년 21억 3,300만 달러에서 연평균 성장률 27.5%로 증가하여, 2025년에는 71억 7,700만 달러에 이를 것으로 전망되며, 유럽 지역은 2020년 14억 5,400만 달러에서 연평균 성장률 24.3%로 증가하여, 2025년에는 43억 1,100만 달러에 이를 것으로 전망된다. 아시아-태평양 지역은 2020년 21억 3,800만 달러에서 연평균 성장률 32.0%로 증가하여, 2025년에는 85억 5,900만 달러에 이를 것으로 전망되고, 마지막으로 기타 지역은 2020년 4억 200만 달러에서 연평균 성장률 17.1%로 증가하여, 2025년에는 8억 8,400만 달러에 이를 것으로 전망된다.

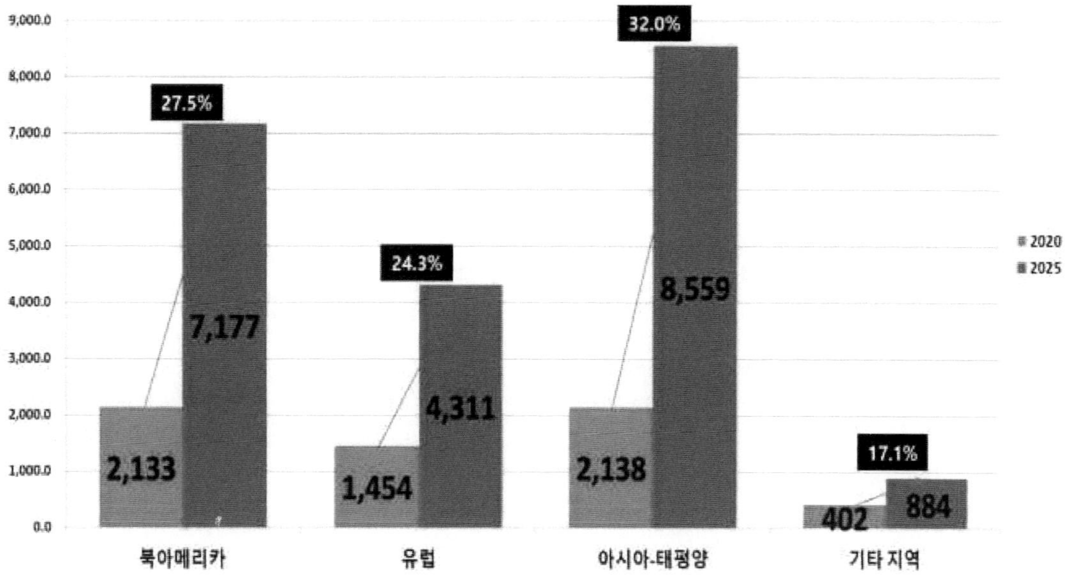

[그림 163] 글로벌 가상 현실 시장의 지역별 시장 규모 및 전망 (단위: 백만 달러)

52) 가상 현실 시장, 연구개발특구진흥재단, 2021.03

마. 분야별 시장 현황

정보통신기획평가원의 보고서에 따르면 2025년에는 가상현실 주요 응용 분야 중 의료분야의 시장 규모가 51억 달러(약 6조 원)로 관련 분야 중 가장 큰 시장 규모로 성장할 것으로 예측했다.53)

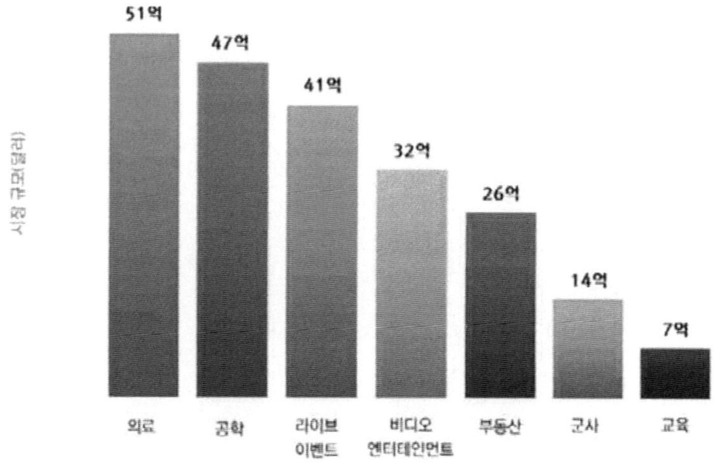

[그림 164] 가상현실 주요 응용 분야별 2025년 시장 규모 예측

의료분야에서의 가상현실 산업이 미래지향적 산업으로 주목받게 되면서 세계 주요 기업들은 관련 R&D 투자를 강화하고 있다.

기업	주요 내용
페이스북	• 2014년, 가상현실 헤드셋 업체인 오큘러스(Oculus)를 20억 달러(약 2조 4,240억원)에 인수하였고 몰입감을 높인 가상현실 기기 Oculus Rift를 개발하여 시장 경쟁 촉발 • 영국의 OSSO VR, 미국의 Surgical Theater 등에서 이를 이용 중
마이크로소프트	• 2017년, 가상현실 소셜 플랫폼인 'Altspace VR' 인수
구글	• 2017년, 가상현실 콘텐츠 플랫폼 데이드림(Daydream) 출시
삼성전자	• 오큘러스(Oculus)와 협업하여 자사의 갤럭시 스마트폰을 디스플레이로 활용하는 Gear VR를 출시 • 이를 활용하여 건강관리 서비스에 활용
HTC	• 2015년, 바이브(Vive) 개발 • 미국의 Immersive Touch가 의료수술 부문에 이를 도입

[표 11] 가상현실의 핵심기술

53) 의료분야에서의 가상현실(Virtual Reality) 산업 현황 및 동향, 박혜경, 융합 FOCUS, 2019.07.29

1) 헬스케어 시장[54)]

전 세계 헬스케어용 증강현실(AR) 및 가상현실(VR) 시장은 제공에 따라 하드웨어, 소프트웨어로 분류할 수 있다. 하드웨어는 2018년 6억 6,662만 달러에서 연평균 성장률 28.29%로 증가하여, 2023년에는 23억 1,662만 달러에 이를 것으로 전망되고, 소프트웨어는 2018년 3억 4,142만 달러에서 연평균 성장률 27.89%로 증가하여, 2023년에는 11억 6,794만 달러에 이를 것으로 전망된다.

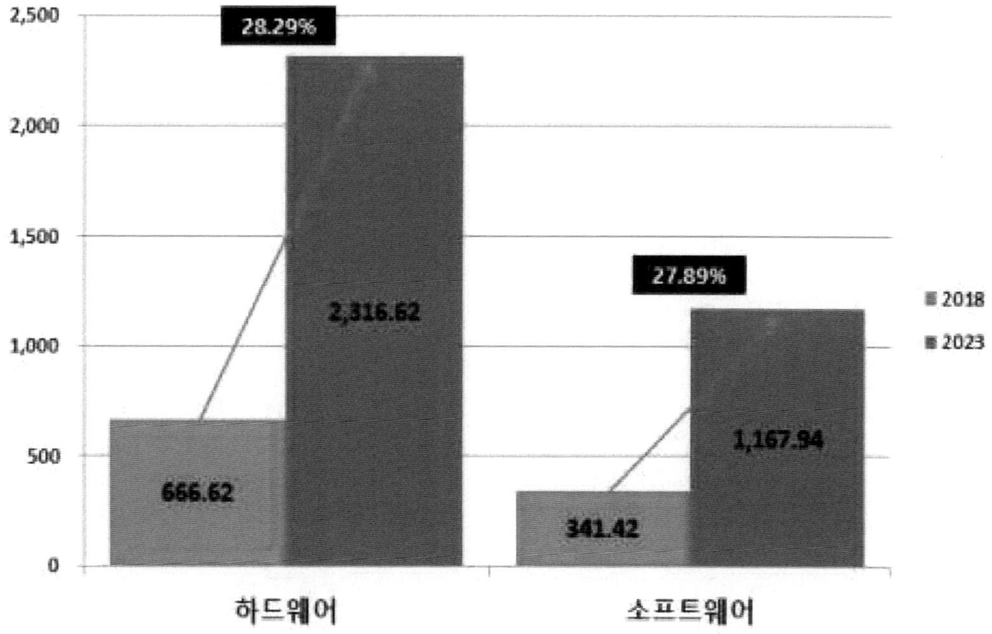

[그림 165] 글로벌 헬스케어용 증강현실(AR) 및 가상현실(VR) 시장의 제공별 시장 규모 및 전망 (단위: 백만 달러)

전 세계 헬스케어용 가상현실(VR) 시장은 디바이스 종류에 따라 헤드 마운트형 디스플레이(Head-Mounted Display), 제스처 제어 기기(Gesture Control Devices), 프로젝터 및 디스플레이 월(Projectors & Display Walls)로 분류할 수 있다.

헤드 마운트형 디스플레이(Head-Mounted Display)는 2017년 1억 4,630만 달러에서 연평균 성장률 23.74%로 증가하여, 2023년에는 5억 2,520만 달러에 이를 것으로 전망되며, 제스처 제어 기기(Gesture Control Devices)는 2017년 2,430만 달러에서 연평균 성장률 17.35%로 증가하여, 2023년에는 6,340만 달러에 이를 것으로 전망된다. 마지막으로 프로젝터 및 디스플레이 월(Projectors & Display Walls)은 2017년 1,430만 달러에서 연평균 성장률 12.88%로 증가하여, 2023년에는 2,960만 달러에 이를 것으로 전망된다.

54) 헬스케어용 증강현실 및 가상현실 시장, 연구개발특구진흥재단, 2020.02

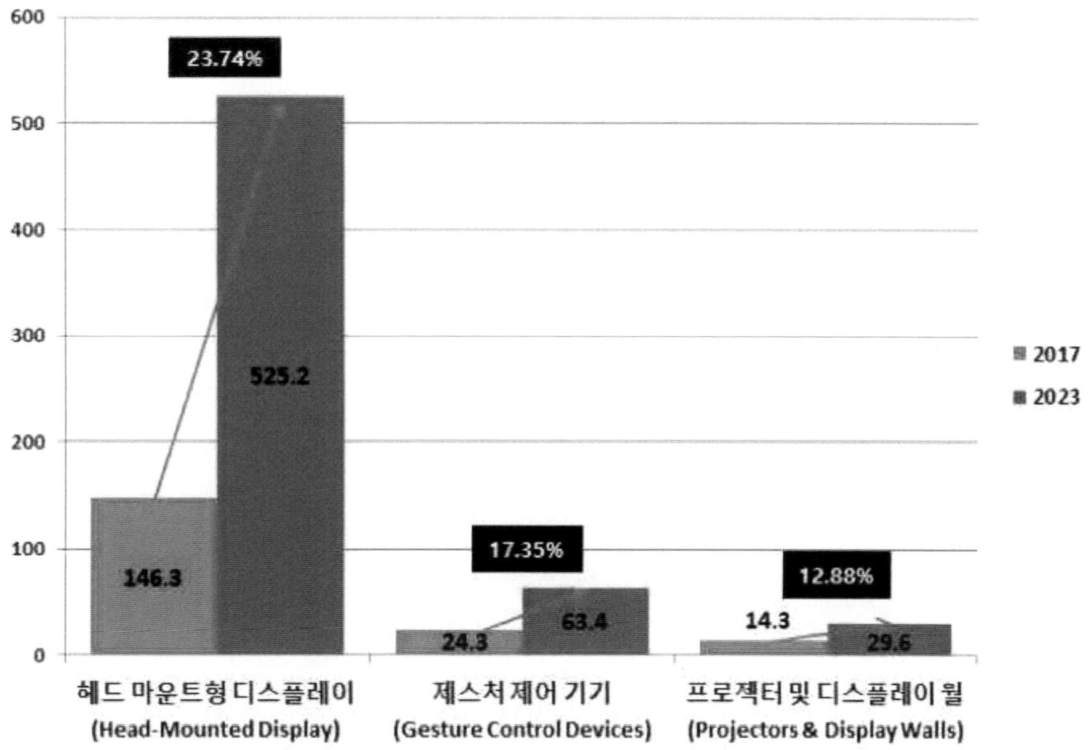

[그림 166] 글로벌 헬스케어용 가상현실(VR) 시장의 디바이스 종류별 시장 규모 및 전망 (단위: 백만 달러)

전 세계 헬스케어용 가상현실(VR) 시장은 최종사용자에 따라 병원, 클리닉 및 외과센터, 연구기관 및 협회, 연구 및 임상검사실, 정부 및 방위시설, 기타로 분류할 수 있다.

병원, 클리닉 및 외과센터는 2017년 1억 5,570만 달러에서 연평균 성장률 17.29%로 증가하여, 2023년에는 4억 530만 달러에 이를 것으로 전망되며, 연구기관 및 협회는 2017년 1억 2,700만 달러에서 연평균 성장률 19.56%로 증가하여, 2023년에는 3억 7,110만 달러에 이를 것으로 전망된다.

연구 및 임상검사실은 2017년 9,960만 달러에서 연평균 성장률 19.11%로 증가하여, 2023년에는 2억 8,450만 달러에 이를 것으로 전망되고, 정부 및 방위시설은 2017년 4,710만 달러에서 연평균 성장률 17.96%로 증가하여, 2023년에는 1억 2,700만 달러에 이를 것으로 전망된다.

마지막으로 기타는 2017년 820만 달러에서 연평균 성장률 15.52%로 증가하여, 2023년에는 1,950만 달러에 이를 것으로 전망된다.

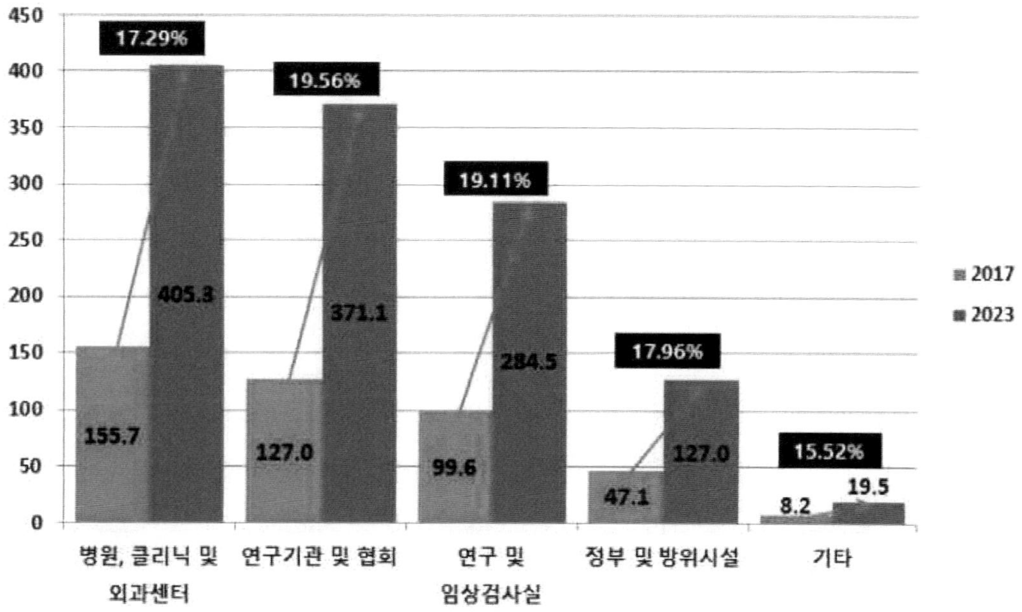

[그림 167] 글로벌 헬스케어용 가상현실(VR) 시장의 최종사용자별 시장 규모 및 전망 (단위: 백만 달러)

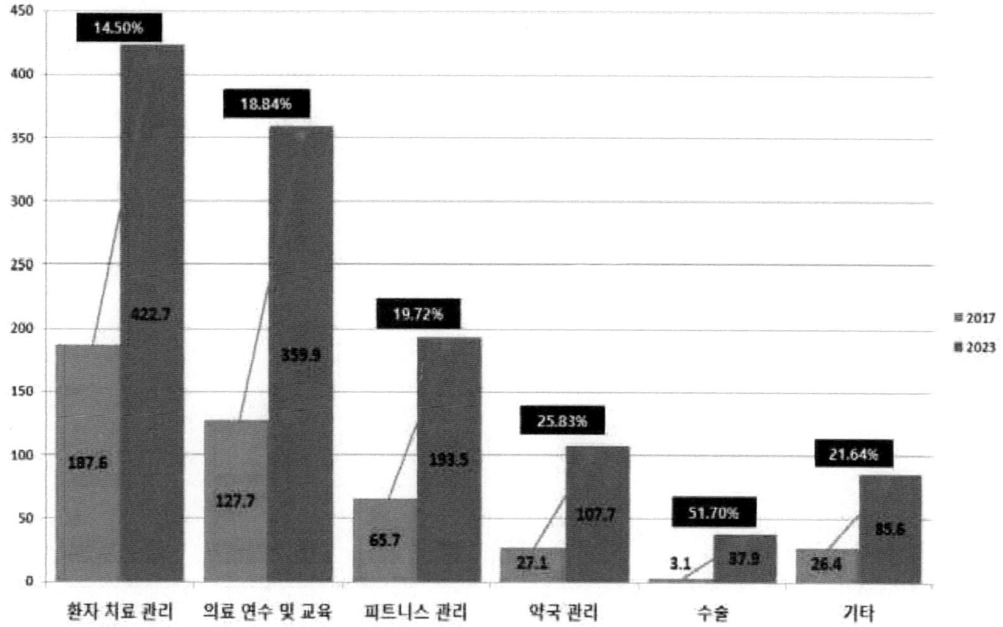

[그림 168] 글로벌 헬스케어용 가상현실(VR) 시장의 용도별 시장 규모 및 전망 (단위: 백만 달러)

전 세계 헬스케어용 가상현실(VR) 시장은 용도에 따라 환자 치료 관리, 의료연수 및 교육, 피트니스 관리, 약국 관리, 수술, 기타로 분류할 수 있다. 환자 치료 관리는 2017년 1억 8,760만 달러에서 연평균 성장률 14.50%로 증가하여, 2023년에는 4억 2,270만 달러에 이를 것으로 전망된다.

의료 연수 및 교육은 2017년 1억 2,770만 달러에서 연평균 성장률 18.84%로 증가하여, 2023년에는 3억 5,990만 달러에 이를 것으로 전망되고, 피트니스 관리는 2017년 6,570만 달러에서 연평균 성장률 19.72%로 증가하여, 2023년에는 1억 9,350만 달러에 이를 것으로 전망된다.

약국 관리는 2017년 2,710만 달러에서 연평균 성장률 25.83%로 증가하여, 2023년에는 1억 770만 달러에 이를 것으로 전망되며, 수술은 2017년 310만 달러에서 연평균 성장률 51.70%로 증가하여, 2023년에는 3,790만 달러에 이를 것으로 전망된다. 마지막으로 기타는 2017년 2,640만 달러에서 연평균 성장률 21.64%로 증가하여, 2023년에는 8,560만 달러에 이를 것으로 전망된다.

전 세계 헬스케어용 증강현실(AR) 및 가상현실(VR) 시장을 지역별로 살펴보면, 2018년을 기준으로 미국 지역이 48.30%로 가장 높은 점유율을 차지하였고, 유럽- 중동-아프리카 지역이 36.70%, 아시아-태평양 지역이 15.00%로 나타났다.

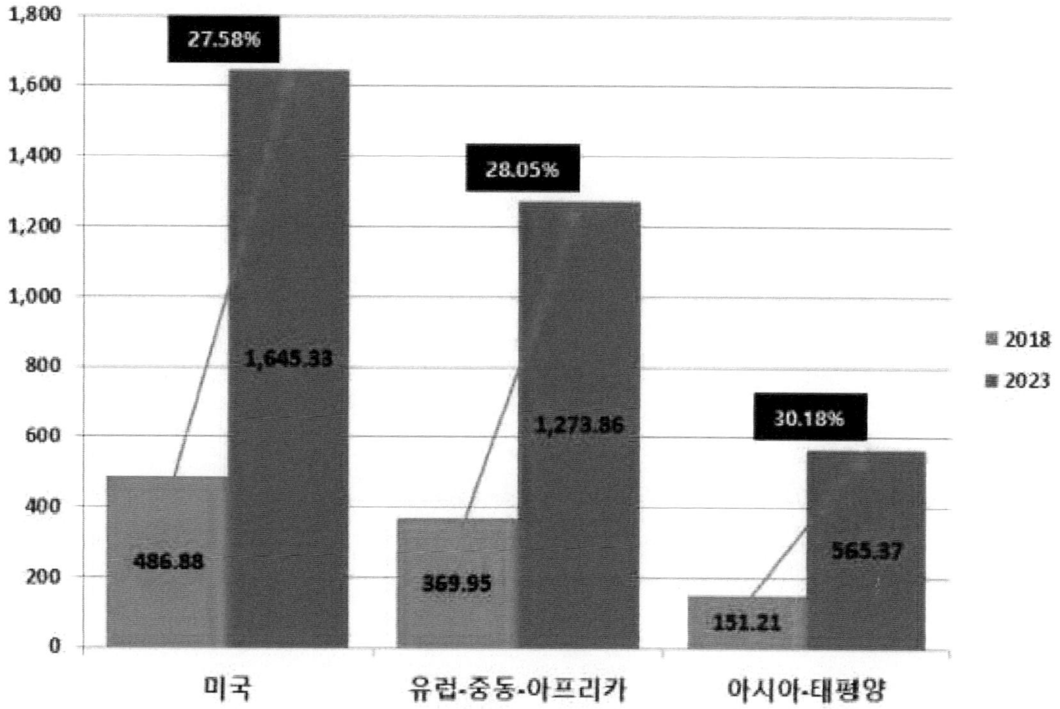

[그림 169] 글로벌 헬스케어용 증강현실(AR) 및 가상현실(VR) 시장의 지역별 시장 규모 및 전망 (단위: 백만 달러)

미국 지역은 2018년 4억 8,688만 달러에서 연평균 성장률 27.58%로 증가하여, 2023년에는 16억 4,533만 달러에 이를 것으로 전망되고, 유럽-중동-아프리카 지역은 2018년 3억 6,995만 달러에서 연평균 성장률 28.05%로 증가하여, 2023년에는 12억 7,386만 달러에 이를 것으로 전망된다. 마지막으로 아시아-태평양 지역은 2018년 1억 5,121만 달러에서 연평균 성장률 30.18%로 증가하여, 2023년에는 5억 6,537만 달러에 이를 것으로 전망된다.

우리나라의 헬스케어용 가상현실(VR) 시장은 2017년 2,310만 달러에서 연평균 성장률 19.17%로 증가하여, 2023년에는 6,630만 달러에 이를 것으로 전망된다.

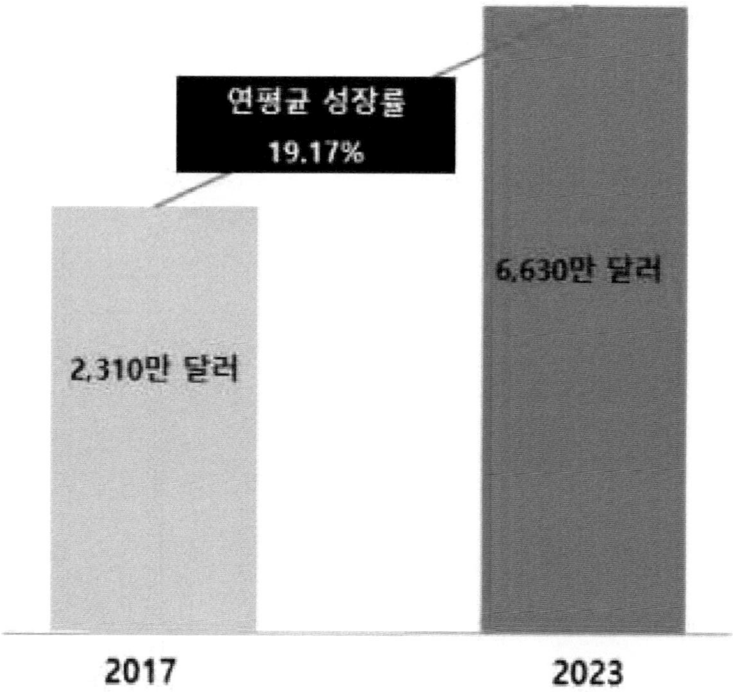

[그림 170] 우리나라의 헬스케어용 가상현실(VR) 시장 규모 및 전망

2) 가상화 및 3D 렌더링 소프트웨어[55)]

전 세계 가상화 및 3D 렌더링 소프트웨어 시장은 2019년 14억 8,000만 달러에서 연평균 성장률 23.1%로 증가하여, 2027년에는 79억 6,000만 달러에 이를 것으로 전망된다.

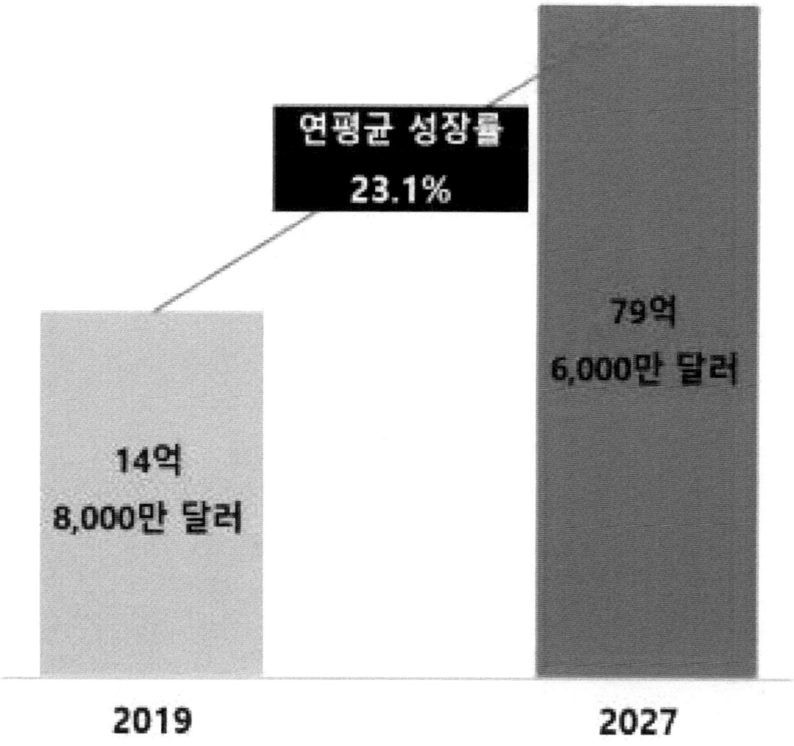

[그림 171] 글로벌 가상화 및 3D 렌더링 소프트웨어 시장 규모 및 전망

전 세계 가상화 및 3D 렌더링 소프트웨어 시장은 제품 종류에 따라 연결형, 독립형으로 분류된다. 연결형은 2019년 5억 4,408만 달러에서 연평균 성장률 24.0%로 증가하여, 2027년에는 30억 7,540만 달러에 이를 것으로 전망되며, 독립형은 2019년 9억 4,218만 달러에서 연평균 성장률 22.6%로 증가하여, 2027년에는 48억 8,631만 달러에 이를 것으로 전망된다.

55) 가상화 및 3D렌더링 소프트웨어 시장, 연구개발특구진흥재단, 2021.05

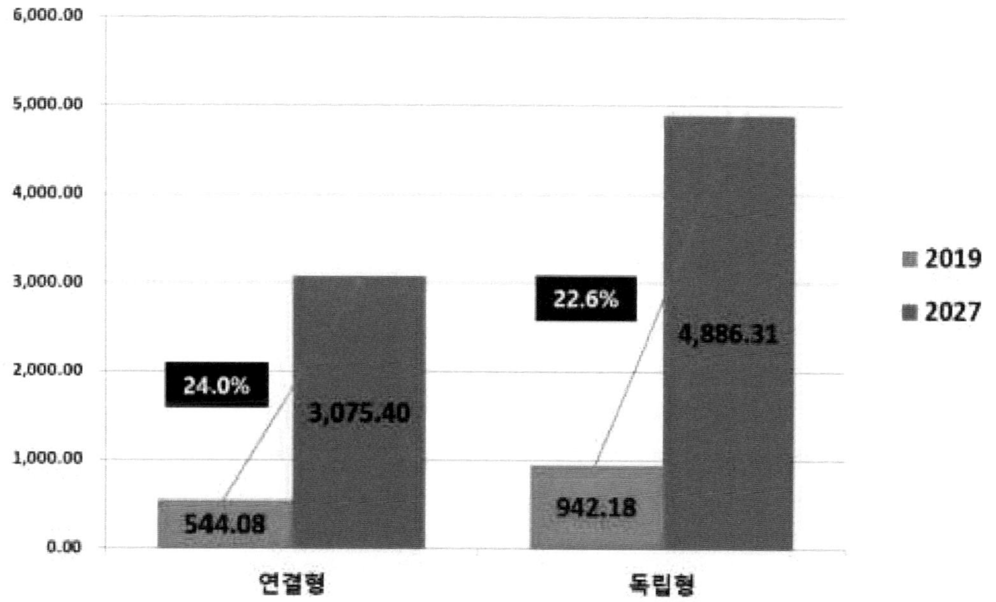

[그림 172] 글로벌 가상화 및 3D 렌더링 소프트웨어 시장의 제품 종류별 시장 규모 및 전망(단위: 백만 달러)

전 세계 가상화 및 3D 렌더링 소프트웨어 시장은 용도에 따라 건축물 및 제품 가상화용, 하이엔드 비디오 게임용, 마케팅 및 광고용, 훈련 시뮬레이션용으로 분류된다. 건축물 및 제품 가상화용은 2017년 3억 860만 달러에서 연평균 성장률 22.60%로 증가하여, 2022년에는 8억 5,470만 달러에 이를 것으로 전망되며, 하이엔드 비디오 게임용은 2017년 2억 8,370만 달러에서 연평균 성장률 21.21%로 증가하여, 2022년에는 7억 4,200만 달러에 이를 것으로 전망된다. 마케팅 및 광고용은 2017년 2억 4,510만 달러에서 연평균 성장률 23.13%로 증가하여, 2022년에는 6억 9,380만 달러에 이를 것으로 전망되고, 훈련 시뮬레이션용은 2017년 2억 2,850만 달러에서 연평균 성장률 22.81%로 증가하여, 2022년에는 6억 3,850만 달러에 이를 것으로 전망된다.

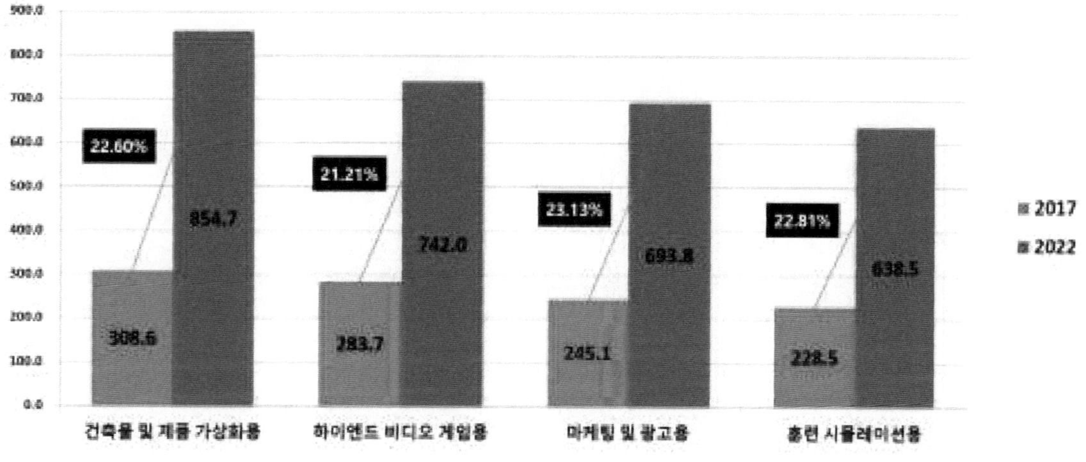

[그림 173] 글로벌 가상화 및 3D 렌더링 소프트웨어 시장의 용도별 시장 규모 및 전망 (단위: 백만 달러)

전 세계 가상화 및 3D 렌더링 소프트웨어 시장은 도입 방식에 따라 온프레미스, 클라우드로 분류된다. 온프레미스는 2017년 7억 8,070만 달러에서 연평균 성장률 20.56%로 증가하여, 2022년에는 19억 8,820만 달러에 이를 것으로 전망되며, 클라우드는 2017년 2억 8,520만 달러에서 연평균 성장률 26.96%로 증가하여, 2022년에는 9억 4,070만 달러에 이를 것으로 전망된다.

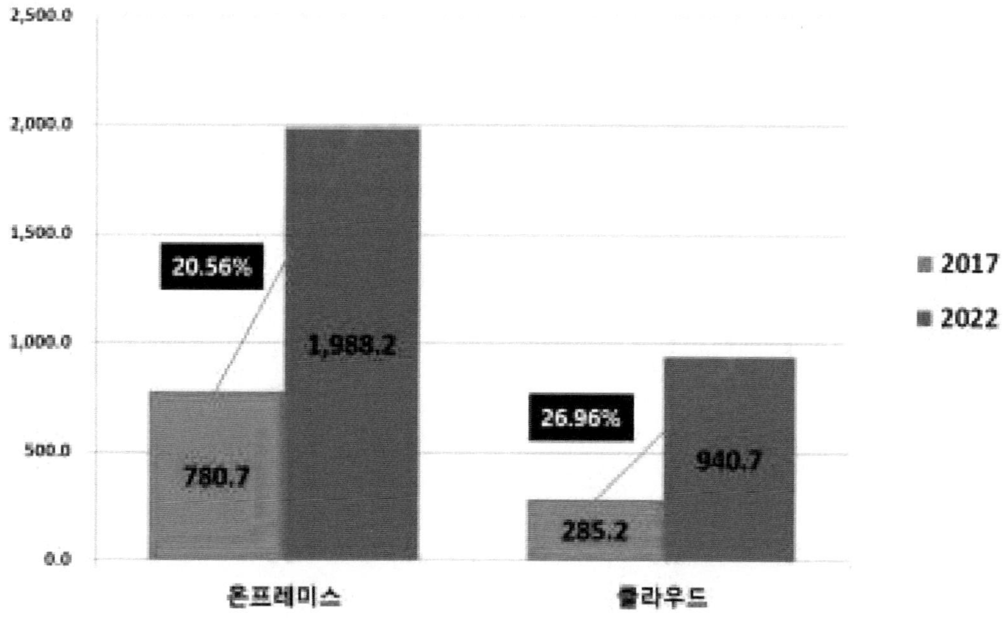

[그림 174] 글로벌 가상화 및 3D 렌더링 소프트웨어 시장의 도입 방식별 시장 규모 및 전망(단위: 백만 달러)

전 세계 가상화 및 3D 렌더링 소프트웨어 시장은 최종사용자에 따라 디자인 및 엔지니어링, 미디어 및 엔터테인먼트, 건축물, 빌딩 및 건설, 의료 및 생명과학, 학술기관, 기타 최종사용자로 분류된다. 디자인 및 엔지니어링은 2017년 2억 8,550만 달러에서 연평균 성장률 22.59%로 증가하여, 2022년에는 7억 9,050만 달러에 이를 것으로 전망되며, 미디어 및 엔터테인먼트는 2017년 2억 6,160만 달러에서 연평균 성장률 22.37%로 증가하여, 2022년에는 7억 1,800만 달러에 이를 것으로 전망된다. 건축물, 빌딩 및 건설은 2017년 2억 1,430만 달러에서 연평균 성장률 22.25%로 증가하여, 2022년에는 5억 8,510만 달러에 이를 것으로 전망되고, 의료 및 생명과학은 2017년 1억 4,900만 달러에서 연평균 성장률 22.81%로 증가하여, 2022년에는 4억 1,640만 달러에 이를 것으로 전망된다. 다음으로 학술기관은 2017년 9,280만 달러에서 연평균 성장률 25.45%로 증가하여, 2022년에는 2억 8,820만 달러에 이를 것으로 전망되며, 마지막으로 기타 최종사용자는 2017년 6,270만 달러에서 연평균 성장률 15.84%로 증가하여, 2022년에는 1억 3,080만 달러에 이를 것으로 전망된다.

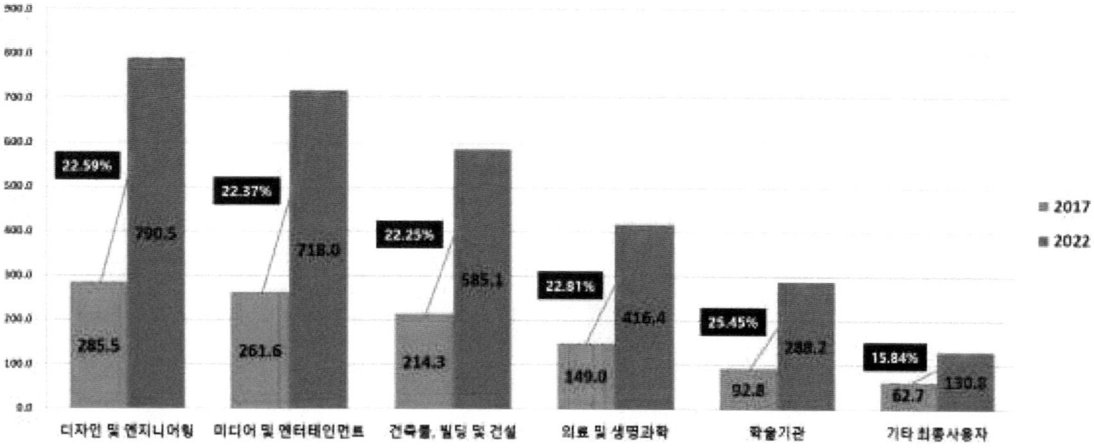

[그림 175] 글로벌 가상화 및 3D 렌더링 소프트웨어 시장의 최종사용자별 시장 규모 및 전망(단위: 백만 달러)

전 세계 가상화 및 3D 렌더링 소프트웨어 시장을 지역별로 살펴보면, 2017년을 기준으로 북아메리카 지역이 33.61%로 가장 높은 점유율을 나타내었다. 북아메리카 지역은 2017년 3억 5,830만 달러에서 연평균 성장률 23.41%로 증가하여, 2022년에는 10억 2,540만 달러에 이를 것으로 전망되며, 유럽 지역은 2017년 2억 9,060만 달러에서 연평균 성장률 23.46%로 증가하여, 2022년에는 8억 3,330만 달러에 이를 것으로 전망된다. 아시아-태평양 지역은 2017년 2억 1,630만 달러에서 연평균 성장률 23.51%로 증가하여, 2022년에는 6억 2,180만 달러에 이를 것으로 전망되고, 중동 및 아프리카 지역은 2017년 7,770만 달러에서 연평균 성장률 24.04%로 증가하여, 2022년에는 2억 2,820만 달러에 이를 것으로 전망된다. 다음으로, 라틴아메리카 지역은 2017년 1억 2,310만 달러에서 연평균 성장률 12.35%로 증가하여, 2022년에는 2억 2,030만 달러에 이를 것으로 전망된다.

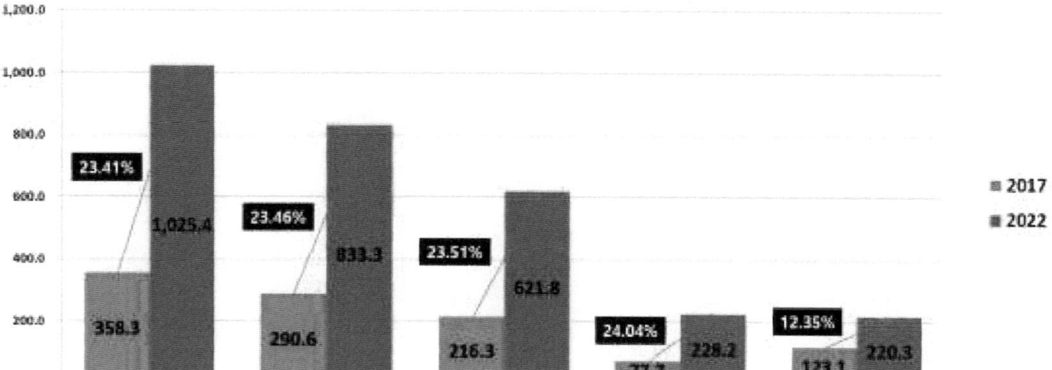

[그림 176] 글로벌 가상화 및 3D 렌더링 소프트웨어 시장의 지역별 시장 규모 및 전망(단위: 백만 달러)

05

가상현실 기업 분석

5. 가상현실 기업 분석

가. 국내기업

1) 스코넥엔터테인먼트

[그림 178] 스코넥엔터테인먼트

2002년 출범한 스코넥은 가상현실(VR) 콘텐츠 개발과 제작에 특화된 기업이다. 세계 최고 수준의 VR콘텐츠 구현 기술을 보유하고 있다. 스코넥은 2015년 'VR 멀미경감 기술'을 적용해 세계 최초 VR 1인칭 슈팅 게임(FPS) '모탈블리츠'를 출시했다. 2017년에는 동일한 IP를 소니의 PSVR 기기로 업그레이드 버전을 출시해 글로벌 다운로드 1위를 기록한 바 있다.

[그림 179] 모탈블리츠

스코넥은 메타(옛 페이스북), 애플, 소니 등 다수의 글로벌 ICT 기업이 고성능 신규 VR HMD(Head-mounted Display)를 출시하기로 발표함에 따라 해당 시장이 가파르게 성장할 것으로 보고 2022년부터 2023년까지 모탈블리츠 세계관에 기반한 신규 게임 3가지를 선보일 예정이다.

스코넥은 VR게임뿐만 아니라 AR(증강현실), MR(혼합현실)을 포함한 XR(확장현실) 기술을 기반으로 메타버스 시장을 선도하는 콘텐츠 제작 및 서비스 제공을 핵심 사업으로 하고 있다. 특히 스코넥은 국내에서 유일하게 다수 인원이 동시에 가상현실 훈련에 참여할 수 있는 '대공간 XR 워킹 시스템'을 핵심 기술로 보유하고 있다.

해당 기술은 2020년 국내 표준으로 제정됐고, 국제표준화기구(IEEE)에 표준화안으로 채택돼 글로벌 표준화가 진행 중이다. 아울러 스코넥은 가상 공간의 규모와 참여자 수에 따른 이동 및 캐릭터 모션 추적의 정밀성 개발 기술을 보유하고 있어 XR 융합부문에서 차별화된 기술을 확보하고 있다. 스코넥은 메타버스 기술과 연계 가능한 XR 시장이 급성장함에 따라 해당 기술과 다양한 산업간 연계를 통해 차별화된 비즈니스모델을 확보할 방침이다.56)

주요재무정보57)	연간			
	2018/12	2019/12	2020/12	2021/09
매 출 액	39.3	77.7	47.1	16
영업이익	-81.1	-59.4	-56.2	-7
당기순이익	-108.7	-97.9	-88.6	-7
자산총계	194.0	150.8	74.0	65
부채총계	21.0	372.1	91.8	57
자본총계	173.1	-221.3	-17.8	9

[표 12] 스코넥엔터테인먼트 재무제표 (억 원)

56) 스코넥엔터테인먼트 "최고 수준 VR 기술 보유… 메타버스 선도 기업 도약, 이투데이, 2022.01.12
57) 네이버 금융

2) 드림텍

DREAMTECH
SOLUTIONS COME FROM DREAMTECH

[그림 180] 드림텍

드림텍은 1998년 설립 이후 스마트폰 PBA 모듈, 지문인식센서 모듈, 스마트 의료기기, 차량용 LED 모듈 등을 개발, 생산하는 종합전자부품 제조기업이다. 드림텍은 휴대폰 지문인식센서를 통해 확보한 기술력을 토대로 자동차, 도어락 등 적용 분야를 넓혀나가는 동시에 2015년부터 미국 라이프시그널(LifeSignals)사와 무선 바이오센서를 공동개발, 사업을 다각화하고 있다. 2019년 3월 유가증권시장에 상장했으며, 다년간 쌓아온 OEM 사업 역량과 중국, 베트남 등에 위치한 생산거점을 통해 글로벌 ODM 기업으로 도약하고 있다.

드림텍은 카메라 모듈 전문기업 나무가를 인수해 카메라 모듈 및 3D ToF 사업에 진출한다. 나무가는 3D 센싱 카메라 및 멀티 카메라 모듈 기술을 보유한 제조기업으로, 국내 R&D 센터 및 중국과 베트남 생산거점을 중심으로 글로벌 세일즈 네트워크를 구축하고 있다. 드림텍은 이번 계약을 통해 카메라 모듈 및 3D ToF 사업에 진출한다는 계획이다.

ToF(Time of Flight, 비과시간법)는 사람이나 사물을 2D가 아닌 3D로 인식하는 기술로, 적외선과 같은 빛이 피사체에 도달했다가 반사돼 돌아오는 시간을 측정, 심도를 계산하고 3D를 구현하는 방식이다. 얼굴 인식뿐 아니라 가상현실(VR), 증강현실(AR) 분야에서 활용 가능하며, 먼 거리에 있는 사람이나 사물도 인식할 수 있다는 장점이 있다.[58]

최근 드림텍은 가상현실 외에도 웨어러블 기기 분야에서도 두각을 나타내고 있다. 드림텍이 개발 및 판매하는 웨어러블 심전도(ECG) 패치 '카디아솔로'에 건강보험이 적용된다. 카디아솔로는 최대 8일간 심전도 데이터를 연속 측정 및 기록하는 일회용 패치형 의료기기다. 진단율이 97.6%에 이르고, 미국 식품의약국(FDA) 승인도 받았다. 국내에서도 지난해 식품의약품안전처로부터 의료기기 품목 허가를 획득했다.

현재 카디아솔로는 서울대병원 헬스케어시스템 강남센터, 세브란스헬스체크업센터 등에서 건강검진 용도로 활용되고 있다. 이번 보험수가 신설로 부정맥 진단 시장에서도 적극 활용될 것으로 기대된다.[59]

58) 드림텍, '나무가' 인수…카메라 모듈, 3D ToF 사업 확대, 이나리, 헬로티, 2019.12.23
59) 드림텍, 웨어러블 심전도 패치 '카디아솔로' 건보 적용, 이데일리, 2022.02.09

주요재무정보[60]	연간			
	2018/12	2019/12	2020/12	2021/09
매 출 액	6,015	5,597	10,458	3,415
영업이익	424	305	197	359
당기순이익	371	234	107	282
자산총계	2,849	3,771	6,043	7,155
부채총계	1,422	1,560	3,020	3,359
자본총계	1,428	2,211	3,023	3,797

[표 13] 드림텍 재무제표 (억 원)

60) 네이버 금융

3) 드래곤플라이

[그림 181] 드래곤플라이

(주)드래곤플라이는 1990년에 설립된 회사로 자본금 73억 8,105만원, 매출액 109억 3,918만원, 사원수 183명 규모의 중소기업이다. 드래곤플라이는 1995년 창립된 이래 2002년 세계 최초 온라인 FPS게임을 개발하고, 2004년 '스페셜포스'를 통해 대한민국 FPS게임의 대중화를 이끈 1세대 게임 기업이다.

최근 드래곤플라이는 중국 온라인 가상현실 플랫폼기업인 피코인터렉티브와 양해각서를 체결하고 '스페셜포스VR: 인베이젼'을 출시했다. 또한, 말레이시아 인기 관광지 조호르주 레고랜드 쇼핑몰에 KT가 투자하고 해외에 진출한 첫 가상현실(VR) 테마파크, 'VRINITY'에 '스페셜포스 VR: ACE' 및 '또봇 VR'을 수출했다. 말레이시아를 비롯한 동남아시아는 연중 무더운 날씨가 이어지는 기후 특성상 쇼핑몰 등 시원한 실내에서 활동을 선호하는 경향이 강해 실내에서 즐길 수 있는 드래곤플라이 경쟁력 있는 VR콘텐츠가 각광받고 있다.

'스페셜포스 VR: ACE'와 '또봇 VR'은 드래곤플라이가 활발히 진행하고 있는 VR E-SPORTS 주력 종목으로 국내에서는 VR 매직 파크(MAGIC PARK)에서 체험할 수 있다.

드래곤플라이 대표이사는 동남아시아 시장은 기후 특성상 VR 테마파크 수요가 높은 신흥시장인 만큼 자사 VR 콘텐츠에 대한 협업요청이 많이 들어오고 있는 상황이라며 이번 '스페셜포스 VR: ACE' 및 '또봇 VR' 말레이시아 수출을 시작으로 자사의 VR 콘텐츠를 동남아시아 시장 전역으로 확대하기 위해 박차를 가하고 있다고 발표했다.[61]

최근 드래곤플라이는 신사업으로 '디지털치료제' 개발에 총력을 다하고 있다. 국내 게임사들이 NTF를 통한 P2E를 자사 게임에 접목해 새로운 '캐쉬카우(Cash Cow)' 발굴에 나서고 있다. 드래곤플라이 다소 생소할 수 있는 '디지털치료제'라는 영역에 도전하고 있다. 드래곤플라이는 의료기기 전문기업 BBB와 함께 부산대병원 등과 디지털치료제 임상개발과 관련한 업무협약(MOU)을 체결하면서 속도를 내고 있다. 드래곤플라이가 디지털치료제 개발 관련 전반적인 사업을 맡고, 드래곤플라이의 관계사인 비비비는 사업기획, 임상시험 모니터링, 인허가 업무 등을 담당하고 있다. [62]

---

61) 드래곤플라이, 말레이시아 핵심관광지에 가상현실 콘텐츠 수출, 강민수, 이뉴스투데이, 2019.08.29
62) [기업탐방]②드래곤플라이의 신사업 '디지털치료제'…"식약처 승인 받을 것", 인포스탁데일리, 2022.02.28

주요재무정보[63]	연간			
	2018/12	2019/12	2020/12	2021/09
매 출 액	64	61	38	20
영업이익	-59	-45	-35	-10
당기순이익	-87	-58	-82	-13
자산총계	199	149	210	562
부채총계	18	25	139	289
자본총계	181	124	71	273

[표 14] 드래곤플라이 재무제표 (억 원)

63) 네이버 금융

4) 벤타브이알

[그림 182] 벤타브이알

벤타VR은 2015년 12월 15일에 설립된 3D입체 VR 콘텐츠 제작 스튜디오로, 주요 사업 영역은 B2B/B2G 형태의 S3D VR/360 비디오 외주 제작 및 자체 콘텐츠 판매 및 서비스다.

벤타VR은 3D VR 영상 제작편수 기준 글로벌 1위 업체로, 연간 500여 편을 내놓는다. 하지만, 처음부터 벤타 VR이 1위를 차지한 것이 아니다. 2년 전만 해도 연 10편에 불과했다. 벤타VR의 급성장세는 5G 상용화와 든든한 우군을 만난 덕이 컸다. LG유플러스는 2018년 5G 상용화를 앞두고 킬러 콘텐츠로 VR·증강현실(AR) 등을 꼽았다. 세계 30여 개 VR 기업을 찾아다닌 뒤 손잡은 게 벤타VR이었다.

벤타VR은 LG유플러스와 손잡은 뒤 두 차례 투자를 유치하며 기업 규모를 키웠다. 당시 규모로는 원하는 만큼의 콘텐츠를 생산할 수 없었기 때문이다. 2018년 5명이던 직원은 27명으로 늘었고, 렌더링(2D 이미지를 3D화하는 것) 속도를 높여주는 렌더팜도 도입했다. 10분짜리 영상의 렌더링 시간을 기존 3일에서 6시간으로 단축했다.

벤타VR의 자체 콘텐츠로는 Dreamdate VR과 360 English가 있으며, 그 외 게임 엔진을 적용한 인터랙티브 콘텐츠 제작을 하고 있다. 현재 주요 파트너사로는 삼성, LG, facebook, 금호아시아나, 유니세프, SBS, MBC 등이 있다.

벤타 VR은 에버랜드의 호러메이즈(귀신의 집), 유니세프의 아시아 어린이 교육 콘텐츠, 삼성 갤럭시 7 스낵 무비 등을 제작했다. VR 단편 영화 3편을 제작해서 현재 부산 영화 체험 박물관에서 상영 중이기도 하다. 자체 제작 컨텐츠도 있지만, 외주 프로젝트를 더 많이 하고 있다.

벤타 VR의 대표 프로그램인 BeFearless는 사람들이 흔히 겪는 고소공포증이나 여러 사람들 앞에서 스피치 하는데 어려움을 느끼는 공포를 극복하기 위하여 관련 전문 의사의 자문을 얻어서 이들과의 협력으로 만들어진 VR프로그램이다.

BeFearless 시리즈 중에서 “발표공포증 극복” 파트에서 사용되는 관중 VR 실사 작업을 진행했으며, BeFearless의 “발표공포증 극복”앱 에서는 실제 스피치 능력에 따라 관중들의 반응이 달라지며 이를 현실감 있게 구현하기 위해 VENTAVR에서 실사 관중 영상을 제작했다.

벤타 VR은 2020년, 라이브 영상을 집중 제작할 계획이다. 이는 카메라를 여러 대 두고 실시간 렌더링을 해야 하는 어려운 작업으로, 현재 착용자 고개의 상하·좌우·회전만 반영되는 3자유도(3DoF) 기술을 몸의 움직임까지 감지하는 6DoF로 높이는 과정을 진행하고 있다. 64)

최근 벤타VR은 GS건설 안전혁신학교가 업무협약을 맺고 안전교육 VR 영상 콘텐츠의 공동 개발을 위한 협업에 나섰다. 이날 양 기관은 건설 재해 예방과 시대가 요구하는 안전보건교육 수요에 대응하고자 미래지향적 VR 안전교육 콘텐츠의 공동 개발에 적극 협력하기로 뜻을 모았다.65)

[그림 183] 벤타브이알-GS건설 안전혁신학교, 안전교육 VR 영상 콘텐츠 공동개발 MOU 체결

64) LG유플러스 손잡은 벤타VR, 5G 타고 질주, 홍윤정, 한국경제, 2020.04.28
65) 벤타브이알-GS건설 안전혁신학교, 안전교육 VR 콘텐츠 공동 개발 위해 협업, 매일경제, 2021.09.06

5) 네비웍스

(주)네비웍스는 2000년에 설립된 회사로 사원수 140명 규모의 VR SW플랫폼 및 콘텐츠 전문기업이다. 네비웍스는 가상훈련 시스템 분야 세계 최고의 기술 혁신을 리딩하는 회사로서 첨단 가상현실 기술을 활용하여 군·공공·일반 산업 분야의 IT 융합형 시뮬레이션 제품 및 기술 서비스를 제공하고 있다.

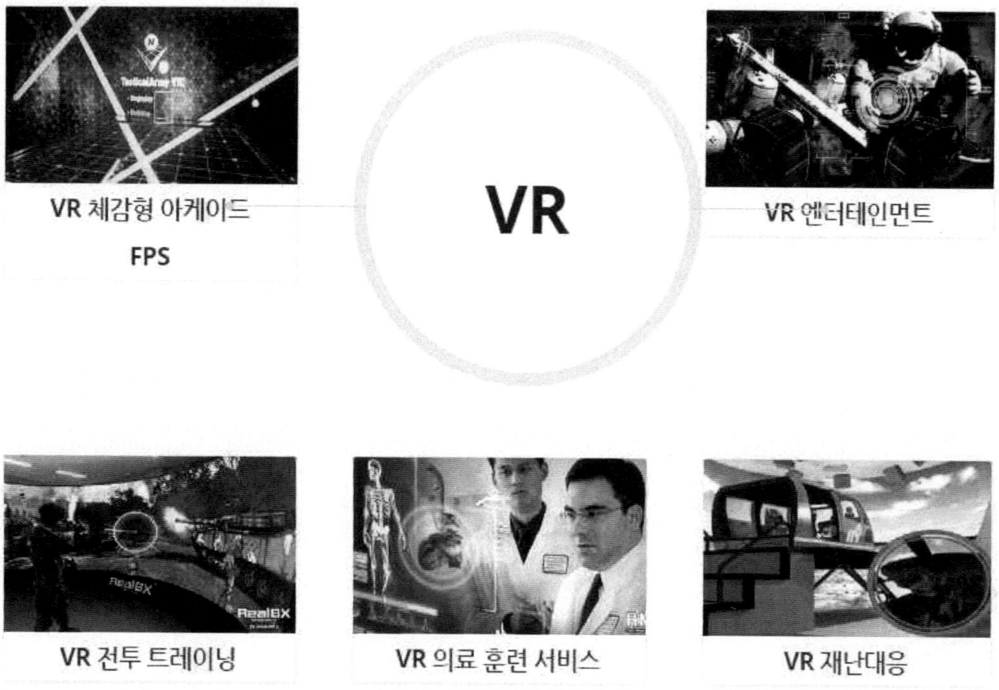

[그림 184] 네비웍스 주요 사업

네비웍스가 역점을 두고 준비하고 있는 '차세대 가상훈련 시뮬레이터'는 최첨단 기술을 통해 현실과 흡사한 훈련 환경을 제공한다. 기존의 스크린을 통해 구현됐던 가상훈련환경은 머리착용디스플레이(Head-Mounted Display)를 통해, 장비와 똑같이 구현됐던 계기판은 디지털 촉각(햅틱) 기술로 구현되며, 가상훈련 장비의 가격도 기존의 10분의 1이면 개발 및 설치가 가능하다. 네비웍스는 이러한 기술력을 바탕으로 RTTP, VRSP, 리얼BX, 배틀 X 등을 출시했다.

RTTP는 가변형 전술훈련 시뮬레이터 플랫폼이다. SW와 하드웨어(HW)의 변경을 통해 한 시뮬레이터에서 다 기종의 훈련을 수행할 수 있고, 시뮬레이터 간 연동을 통한 팀 전술훈련에 특화된 제품이다.

VRSP는 최첨단 VR 시뮬레이터로 다양한 기종의 헬기를 조종할 수 있는 멀티 훈련 플랫폼 제어장치와 햅틱 기반 VR 기술이 접목된 제품이다.

리얼BX는 아시아 최초의 군사용 가상훈련 SW로 분대·소대·중대급 쌍방 과학화 전술훈련에 최적화·검증된 차세대 교보재다. 최대 300명이 동시에 팀 전술훈련을 할 수 있으며 시간 및 날씨, 지형 편집 등을 통해 다양한 훈련 시나리오를 제공한다. 모의총기, 센서, HMD 등을 연동해 사격 훈련 등도 가능하다.

배틀 X는 밀리터리 VR 슈팅게임으로 리얼리티에 재미가 더해져 군 장병들 여가 시간 스트레스 해소 및 밀리터리 전술 체험이 가능하다.66)

[그림 185] 리얼 BX 인게임

네비웍스는 경찰 훈련, 문화·관광 등 영역으로 사업 확대를 꾀하고 있다. 경찰청은 복합테러 대응 교육훈련 테스트베드 구축 사업을 네비웍스와 진행하기로 결정했다. 네비웍스의 가상훈련 플랫폼 안에 들어간 경찰관들이 가상 훈련장에서 다양한 시나리오로 서로 교류하면서 훈련할 수 있다. 훈련 결과는 데이터 기반의 맞춤형 교육 커리큘럼으로 관리된다.67)

66) VR·햅틱 기술로 실제 같은 전술훈련 가능, 최아름, 정보통신신문, 2019.03.26
67) '메타버스 원조' 네비웍스, 시뮬레이션 SW 100% 국산화, 한경, 2021.08.30

6) 필더세임(Feel the Same)

Feel the Same
ANOTHER SENSE

[그림 186] 필더세임

울산광역시 울산과학기술원(UNIST)에 입주해 있는 필더세임(Feel the Same)은 UNIST 교원 창업 기업이다. 배준범 필더세임 대표는 UNIST 기계공학과 교수로 인간과 로봇의 상호작용 시스템(HRI·Human-Robot Interaction)을 주로 연구했다.

필더세임의 핵심 기술은 액체금속 인쇄(printing) 기반 소프트 센서다. 금속이라고 하면 통상 딱딱한 고체를 떠올리지만, 액체 형태로 존재하는 금속도 있다. 이를 이용해서 다양한 센서를 만드는 기술이 핵심이다. 필더세임은 액체금속으로 인듐-갈륨 합금을 이용하는데, 센서를 늘리거나 누르는 등 다양하게 형태를 변형할 수 있다는 의미에서 소프트 센서라고 부른다.

필더세임은 이 기술을 장갑에 적용했다. 외견상 평범한 장갑 속엔 손등과 손가락을 따라서 액체금속이 얇게 깔려 있다. 액체금속은 손가락 관절의 미세한 움직임에 따라 달라지는 저항값을 계산하고, 이를 수치화한다. 이렇게 수치로 표현한 손가락의 움직임을 실시간으로 모니터와 같은 가상공간 안에 표현하는 것이 필더세임이 개발한 장갑(상품명 '몰리센 핸드')이다.

필더세임 본사에서 시연한 몰리센 핸드는 손가락의 움직임을 모니터 안에 거의 정확하게 표현해냈다. 더 실감 나는 부분은 장갑을 착용하고 가상현실 공간에서 움직일 때 손가락에서 진동·충격까지 느낄 수 있다는 점이다. 장갑의 엄지·검지·중지에 진동을 전달하는 진동자와 손가락·손바닥에 히터를 장착해서다. 예컨대 가상공간에서 캐릭터가 뜨거운 물에 손을 넣으면, 장갑을 착용한 사람도 열감으로 인한 미세한 고통을 느낄 수 있다. 이렇게 가상공간의 움직임을 손에 전달해 몰입감을 높이는 기능은 제품 활용도를 높인다. 필더세임은 몰리센 핸드를 이용해 헬리콥터 정비교육 프로그램과 자동차 수리교육 프로그램을 개발했다.[68]

68) 영화야 현실이야…가상공간서 손가락 움직임도 재현, 중앙일보, 2021.12.24

나. 국외기업

1) 오큘러스(Oculus)

[그림 187] 오큘러스 리프르 DK1 (출처 : 오큘러스 홈페이지)

오큘러스는 2012년 8월 킥스타터(Kickstarter ; 미국 크라우드 펀딩 사이트)에서 오큘러스 리프트 개발자 버전(Oculus Rift DK1)을 선보였다. 그리고 한 달 만에 240만 달러 정도의 투자를 받아서 VR HMD(Virtual Reality Head Mounted Display)를 개발하는 오큘러스 리프트 벤처회사를 창립했다.

2013년에는 오큘러스 리프트 개발자 버전 출시 1년 만에 6만대 넘게 판매했다. 이후 소비자 버전을 위한 자금 모금을 시작했고, 작년 말 기준 7500만 달러(약 790억 원)를 투자 받아 가상현실 분야의 최고 인기 스타트업이 되었다.

2014년 미국 샌프란시스코에서 개최된 GDC 2014(Game Developer Conference 2014)에서 한층 더 향상된 오큘러스 리프트 DK2 버전(Development Kit 2)가 공개했다. DK2는 기존 버전과 다르게 콘트롤 박스가 없이 바로 헤드셋에 연결해서 사용할 수 있다. DK2는 OLED 디스플레이를 채택하여 기존의 문제점이었던 멀미 증상과 화면의 흐려짐을 조금 더 해결하는 등 시각적 개선을 이뤘다. 현재 DK1은 단종 상태이다. 2014년 3월 25일 오큘러스 리프트는 페이스북에 20억불로 인수되었다. 메타 CEO인 마크 저커버그는 오큘러스를 게임뿐만이 아니라 스포츠 중계, 원격 학습, 원격 대면 진료 등과 같이 다양한 분야로 키울 것을 언급했다.[69]

현재 AR·VR 시장 1위는 메타의 자회사인 오큘러스다. 2020년 10월 출시한 VR 기기 오큘러스 퀘스트2는 점유율 75%를 차지하고 있다. 오큘러스에 VR 기기용 칩셋을 공급하는 퀄컴에 따르면 전 세계에 총 1000만대(2021년 11월 기준)가 판매된 것으로 파악된다.

오큘러스 퀘스트2는 VR 기기에서 콘텐츠를 구동할 수 있다. 무게도 503g으로 가볍고, 120 Hz 주사율을 지원한다. 현재 저장용량 120GB 모델의 경우 299달러, 256GB 모델의 경우 399 달러에 판매 중이다. 업계에서는 오큘러스가 가격을 낮추면서 VR 대중화를 이끌었다 평가하고 있다.

오큘러스는 메타버스 하드웨어 신제품을 개발 중이다. 올 상반기에도 새 헤드셋을 출시할 예정인데, 헤드셋에 탑재된 5개의 카메라가 사용자의 시선과 입술, 전신 움직임을 감지해 3차원으로 구현하는 기술을 선보일 전망이다.[70]

69) 오큘러스 퀘스트, VR 콘텐츠 시장 조성에 성공, 안희권, 아이뉴스24, 2020.05.19
70) 빠르게 성장하고 있는 AR·VR 시장, 메타 이어 애플, 소니 등 빅테크 기업도 뛰어든다, 인사이트42, 2022.02.28

2) HTC

[그림 188] HTC

HTC Corporation은 대만에 본사를 둔 설계 및 제조 장치에 관여하는 소비자 전자 회사다.

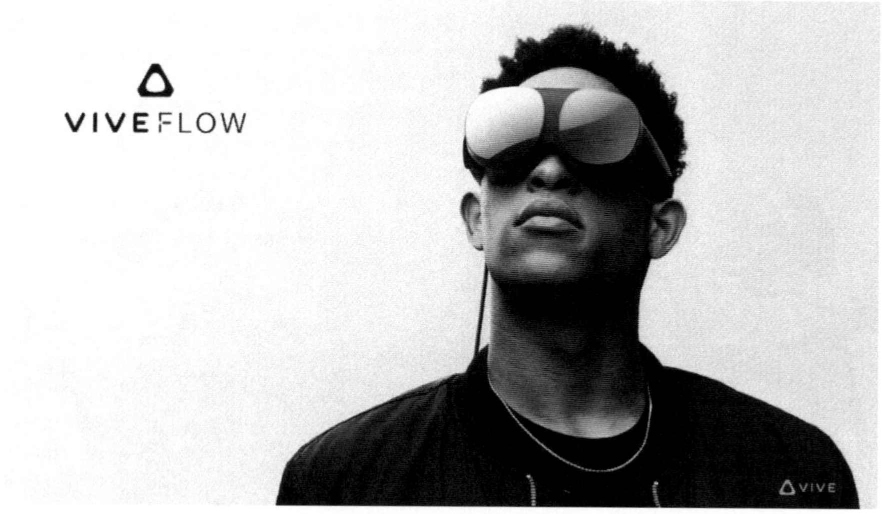

[그림 189] 바이브 플로

HTC가 가상현실 헤드셋인 바이브 플로(VIVE Flow)를 발표했다. 무게 189g 경량으로 안경처럼 착용할 수 있고 스마트폰과 연결해 가상현실 콘텐츠와 TV를 시청할 수 있다. HTC는 바이브 플로에 대해 지금까지 나온 가상현실 헤드셋과는 다른 용도 측면을 강조하고 있기 때문에 사양 정보는 적극 소개하고 있지 않지만 디스플레이 2개에 1.6K 해상도, 재생 빈도 75Hz로 구동하고 시야각 100도를 제공한다. 전원은 배터리를 탑재하지 않고 USB 타입C를 통해 공급되며 만일 실수로 음직여 케이블이 빠져 버려도 자동으로 안전하게 종료하기 위한 보조 전원을 탑재하고 있다.[71]

최근 HTC가 홍콩 이벤트 플랫폼 개발 스타트업인 이벤트X(EventX)에 투자했다. 이벤트X가 아시아에서 빠른 성장세와 함께 주목받는 스타트업 중 한 곳이라는 점을 고려하면, 이는 HTC가 VR 사업을 중요한 사업분야로 선정하고, 이를 더욱 성장시키기 위함이라는 추측이 발표되고 있다.[72]

71) HTC가 발표한 경량 가상현실 헤드셋, The Recipe, 2021.10.15
72) [독점] HTC, 홍콩 이벤트 플랫폼 개발사에 투자...VR 시장 입지 확보 노린다, 코딩월드뉴스, 2022.02.24

3) 소니 인터랙티브 엔터테인먼트

소니는 일본의 다국적 기업으로, 전자기기, 게임, 엔터테인먼트, 금융 등이며, 음향/영상기기, 방송기재에서 독보적인 위치를 차지하고 있다. 창업자는 모리타 아키오와 이부카 마사루이며, 1946년 5월 7일 설립, 2014년 기준 전 세계 14만여 명의 직원을 두고 있다. 2015년 현재 세계 TV 점유율 3위, 세계 반도체 판매 순위에서 20위권 내에 포함되는 기업이다.

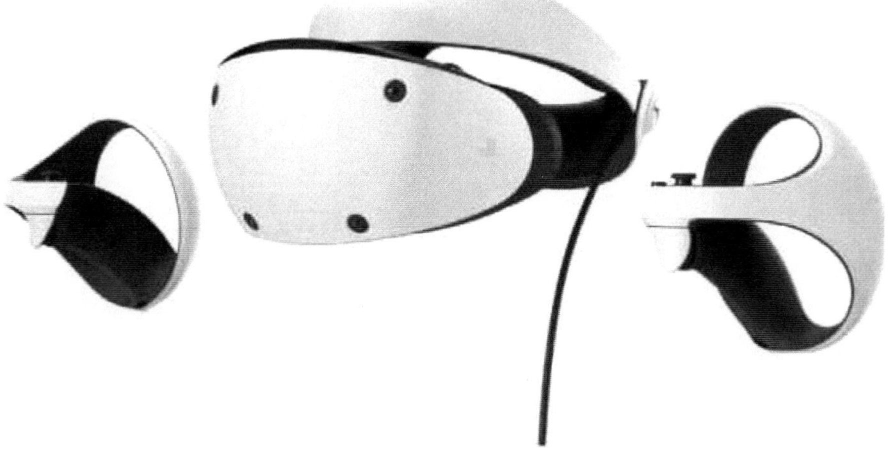

[그림 190] 플레이스테이션용 VR2

최근 소니가 게임기 플레이스테이션 용으로 VR2 가상현실 헤드셋을 전격 공개했다. 소니가 공개한 헤드셋은 특히 페이스북의 모기업인 메타(Meta)의 299달러짜리 메타 퀘스트2 헤드셋에 대응하기 위한 것이다. 소니는 아직 헤드셋 가격을 발표하지 않았지만 헤드셋의 외형은 메타 퀘스트2와 비슷하게 생겼다. 또한 메타 헤드셋처럼 VR에서 탐색하는 데 사용할 수 있는 컨트롤러가 2개 탑재돼 있다. 소니는 새로운 헤드셋이 렌즈 조절 다이얼을 포함할 것이며, 사용자들은 그들의 시야를 최적화하기 위해 렌즈 사이의 거리를 맞출 수 있을 것이라고 말했다. 디자인도 종전 버전보다 더 슬림해졌다.[73)]

73) [글로벌] 소니, PS용 가상현실 헤드셋 공개…페이스북 퀘스트와 경쟁, IT 데일리, 2022.02.23

4) 애플(Apple)

[그림 191] 애플

애플은 미국 캘리포니아의 아이폰, 아이패드, 애플 워치, 에어팟, 아이맥, 맥북, 맥 프로, 홈팟 등의 하드웨어와 iOS, iPadOS, macOS 등의 소프트웨어를 설계, 디자인하는 기업이다. 최근 증강현실, 가상현실 시장에 애플 또한 출사표를 던지고 다양한 개발을 진행하고 있다.

최근 IT매체 맥루머스는 애플이 개발 중인 AR·VR 헤드셋을 구동하게 될 새 OS '리얼리티(reality)OS'의 오픈소스 코드가 개발자 커뮤니티 깃허브에 유출됐다고 최근 보도했다. 또한 애플은 2022년 말 또는 2023년에 출시될 AR 헤드셋을 포함해 최소 2개의 AR 프로젝트를 진행 중이며, 이후에 AR 글래스도 출시할 예정이다.

애플 전문 분석가 밍치궈에 따르면 애플이 개발 중인 AR·VR 헤드셋은 두 개의 M1 실리콘 칩을 탑재해 맥 컴퓨터 수준의 컴퓨팅 성능을 제공할 예정이며, AR과 VR 의 원활한 전환으로 혁신적인 경험을 제공할 예정이다.

애플의 AR·VR 헤드셋은 이전에 'rOS'로 불렸던 새 OS를 실행할 것으로 보인다. 이는 애플이 애플TV에는 tvOS, 맥에는 맥OS, 애플워치에는 워치OS 라는 별도의 OS를 실행하는 것과 같은 전략이다. 2017년 블룸버그 통신이 처음 발견한 애플 AR·VR OS의 내부 코드명은 오크(Oak)다.

블룸버그 통신에 따르면, 애플은 게임, 스트리밍 영상 콘텐츠, 화상회의에 중점을 맞춘 AR·VR 헤드셋용 앱스토어를 구축할 계획이다. 하지만, 개발 과정에서 성능 등의 문제가 생겨 2023년까지 출시가 연기될 수 있다고 전했다.[74]

74) "애플, 새 운영체제 준비…명칭은 리얼리티OS'", ZDNet, 2022.02.11

5) 메타(Meta)

[그림 192] 메타

2021년 10월 28일, 페이스북의 CEO 마크 저커버그가 새 사명 '메타(Meta)'를 발표했다. '메타'는 메타버스를 일상으로 가져와 사람들을 연결하고, 커뮤니티를 찾아주며, 비즈니스를 지원하는 것을 목표로 한다.[75]

최근 메타는 '인사이드 더 랩' 행사를 통해 음성만으로 가상세계를 만들 수 있는 신기술을 선보였다. 특히 간단한 명령만으로 원하는 가상현실을 창조하는 '빌더봇'이라는 AI가 큰 관심을 모았다. 그동안 메타버스를 구축하려면 코딩을 익히고 명령어를 입력해야했는데, 메타가 선보인 '빌더봇'은 음성 명령만으로 입체 이미지를 구현하는데 성공하며 이미지 형성 AI를 한 차원 더 끌어올렸다는 평가를 받았다.[76]

특히 메타는 가상현실 HMD 주도권 전쟁에서 현재 가장 유리한 고지를 점령했다. 메타에 승리를 안겨준 오큘러스퀘스트2의 가상현실 HMD 시장 점유율은 2021년 1분기 기준 무려 75%에 이른다. 메타가 정확한 판매량을 공개하지 않았지만, 시장에서는 2021년 한 해 동안 팔린 1200만 대의 가상현실 HMD 가운데 1천만 대는 오큘러스퀘스트가 차지했을 것으로 예상한다.

메타는 오큘러스퀘스트2의 출시 이후 계속해서 핸드키보드트래킹, 에어링크 등의 최첨단 기능을 업데이트하며 다져놓은 기반을 공고히 하려는 움직임을 보인다. 차세대 기기인 오큘러스퀘스트3의 개발에도 이미 착수한 것으로 알려졌다. [77]

---

75) 페이스북의 새 이름 메타, 대체어 챌린지, Designflux2.0, 2021.11.05
76) 메타, 메타버스 AI 대거 공개...음성만으로 가상현실 구축, SBS Biz, 2022.02.25
77) 메타버스 승부처는 HMD, 메타 애플 소니 3파전 관전 포인트. 비즈니스포스트, 2022.03.01

06

가상현실 가이드라인 현황

6. 가상현실 가이드라인 현황

가. Telecommunication Srandardization Sector of ITU[78)]

최근 ITU-T(Telecommunication Srandardization Sector of ITU)에서는 VR·AR 서비스 경험의 질에 영향을 미치는 요인에 대한 연구가 이루어졌다. 이 연구에서는 VR·AR 이용 경험에 크게 영향을 미치는 요인 Human, System, Context로 분류했다.

① 인체 영향 요인 (Human influencing factor)

	내용
시각과 청각	• Vision: 원근 조절이상, 초점이나 색채이탈 • hearing: 높은 주파수로 인한 청각 손상
시뮬레이터 멀미	• HMD의 수렴조절 불일치로 인한 피로, 어지러움, 구토, 눈피로, 초점문제 증상
몰입	• VR 시스템 이용하는 수준에 따라 차이가 있음
기대수준/숙련정도	• 이용자의 기대수준과 VR·AR 기기에 대한 숙련정도에 따라 차이가 있음

[표 15] 인체 영향 요인

② 시스템 영향 요인 (System influencing factor)

	내용
콘텐츠 관련	• Spatial audio: VR 장면에 부합하는 공간 사운드 사용정도 • Spatial depth: 높은 비트율을 지닌, 3차원 입체적인 영상, 그래픽 • Spatiotemporal complexity: 시공간적 표현의 복잡성 정도
미디어 관련	• Compression : 콘텐츠 압축 코덱 • Storage and transport: 이용자의 시선에 따라 콘텐츠가 바뀔 수 있도록 하는 저장, 전송코덱 (MPRG 포맷 등) 필요 • Bitrate: 높은 해상도, 높은 프레임레이트, 낮은 압축률은 비트레이트를 높임 • Resolution: 360도 3D VR 콘텐츠는 원래 해상도의 25%만 볼 수 있다는 것 고려 • Frame rate(refresh rate): 360 비디오 구현 시에는 낮은 프레임 속도, 3D 그래픽은 높은 프레임 속도 제작 • Audion sample rate • Coding delay: 비디오와 오디오 싱크 일치를 위해 낮은 지연

[표 16] 시스템 영향 요인

---

78) VR·AR 디바이스 제작·이용 가이드라인 2020, 정보통신산업진흥원

	내용
네트워크/전송관련	• VR 서비스를 이용할 때 발생하는 네트워크 문제 • Delay: 대기지연, 실행지연, 버퍼링 지연 등을 포함. 50ms 이하로 지연시간 낮추는 것 권장 • Bandwidth: 광대역 통신망을 사용하더라도 전송중에 콘텐츠 질이 낮아질 수 있음. 네트워크에 의한 지연, 손실이 적도록 광대역 통신망 이용 권고 • Loss: 전송과정에서 발생 할 수 있는 패킷 손실. 광대역 통신망 사용 권고
하드웨어 관련	• VR 하드웨어는 HMD, 헤드폰, 햅틱 디바이스, 콘트롤러, 트랙킹 시스템 등을 포함 • Head-mounted display: 무게, 사이즈, 열발산, 해상도, 재생율이 콘텐츠 이용에 영향을 미침 • Decoder performance: encoding 된 것과 같은 코덱으로 decoding 되는 것을 권고 • Head-tracking: 낮은 헤드트랙킹 지연과 반응 트랙킹 정확도 필요 • FOV: 넓은 FoV는 몰입도를 증가시킴 • 낮은 PPD 는 스크린 도어 이펙트 유발 • Refresh rate: 낮은 재생률은 처리속도

[표 17] 시스템 영향 요인

③ 주변 환경 영향력 요인 (Context influencing factors)

	내용
물리적 환경	• VR 서비스를 이용 하고 있는 공간에 대한 것 • 이용하는 콘텐츠에 따라 적절한 사이즈의 공간 확보 필요
시간 요인	• 이용자의 사용 빈도와 사용 시간에 대한 것 • 한번에 이용하는 시간이 길수록 공간 감각, 눈통증, 구토 증상이 발생할 수 있음
사회적 환경	• VR 콘텐츠를 어떤 사람들과 이용하는가에 대한 것 • 가족, 친구 등 누구와 함께 이용하가에 따라 만족도가 다름
이용목적	• VR 이용 목적에 따라 VR 경험이 다름 • 스트리밍 VR, 360도 영상 VR / 게임 VR, 소셜 VR 등 목적에 따라 필요한 사항이 다를 것으로 예측

[표 18] 주변 환경 영향력 요인

나. 의료목적 가상증강현실 기술이 적용된 서비스에 대한 가이드라인

식약처에서는 2018년 의료목적으로 가상증강현실 기술이 적용된 서비스에 대한 허가·심사를 목적으로 관련 가이드라인을 제시했다. 의료 목적으로 가상증강 현실 서비스를 이용 및 제작하는 경우 이용자의 신체적 안전성이 가장 중요하기에 이를 충족시키기 위한 가이드라인을 도출한 것이다. 이에, 가이드라인에서는 연령별, 대상별 사용시간을 명시하고, 병원 내에서 단일기기를 여러명이 사용할 경우 감염 등의 위험을 최소화하는 방법을 명시**했다**.

① 안전성 검증

	내용
하드웨어	① 가상증강현실 적용 의료기기를 사용하는 중간에 조작자 또는 환자가 긴급한 상황에서 종료할 수 있는 비상정지 장치 또는 이에 대응할 만한 기능 설계나 준비가 되어 있어야 함 ② HMD 착용에 따른 안전성 • HMD 착용에 따른 불편함(머리/안면 압박에 의한 통증 등)을 최소화하도록 설계 및 제작되어야 함. • 발광 및 발열로 인한 화상 및 안과적 안전문제(광과민성 반응 등)이 발생하지 않도록 설계 및 제작 되어야 함 • HMD 착용으로 인한 주변 이미지의 변화나 왜곡으로 불편함이 없어야 함
소프트웨어	① 가상증강현실 적용 소프트웨어의 경우 기존 소프트웨어 등급 기준을 따르되, 특성에 따라 제조사에서 해당 소프트웨어의 사이버 멀미 및 피로도 유발 정도 등의 정보를 제공해야 함

[표 19] 안전성 검증

② 성능 및 임상적 유효성 검증

	내용
물리적 환경	• 정의: 가상증강현실 트래킹이 실제 값과 얼마나 가까운지 나타내는 기준 • 기준: ① 가상공간에서의 사용자 위치 트래킹이 가능해야한다. ② 증강현실을 이용한 수술용 장치에서 네비게이션 장비의 위치 지정 정확도는 영상과 환자의 정합 정확도에 의해 결정되며 오차는 2mm 이내를 만족해야 한다. ③ 증강현실에서 가상객체가 실제공간에 정합되는 정확도는 수mm이내여야 한다.

[표 20] 성능 및 임상적 유효성 검증

	내용
사회적 환경	• 정의: 사용자의 시선과 동작을 반영하여 가상의 영상으로 갱신하는 속도 • 기준 ① 별도 입력장치가 없는 경우 반응속도는 20ms 이내여야 한다. ② 별도 입력장치가 없는 경우 반응속도는 60ms 이내여야 한다.
이용목적	① 화각(Field of view): HMD 장비에서 보여주는 영상의 시야각도로 표시. 실제 시야각과 가상 시야각은 가능한 일치해야 한다. ② 해상도(Resolution): 제조사는 HMD 장비에서 보여주는 영상의 해상도를 가로 x 세로 픽셀의 개수로 제시하여야 한다 ③ 프래임률(Frame rate): 가상현실 소프트웨어의 초당 프레임은 30fps, 그래픽 기반(사용자 인터랙션)의 경우 60fps 이상이어야 한다.

[표 21] 성능 및 임상적 유효성 검증

다. VR 게임 이용 가이드라인

한국콘텐츠진흥원에서는 2018년 가상현실 게임 이용의 활성화를 도모하기 위한 목적으로 이용자를 위한 가이드라인을 도출했다. 이를 통해 가정용과 체험장용 가상현실 게임을 구분하여 이용자들이 고려해야할 요소들을 제시한다.

① 가정용 VR 게임 이용 시

	내용
플레이 및 휴식시간	30분마다 10-15분 휴식 권고
플레이 환경 조성	PC 기반 VR: • 플레이 공간 내 이용자와 충돌하거나 넘어질 수 있는 물건을 없앨 것 권고, 안전한 공간 확보 권고 • 안전사고 예방을 위해 관리해줄 사람과 함께 있는 것 권고
연결선, 컨트롤러	PC 기반 VR: • HMD 및 센서 케이블에 걸려 질식하거나 넘어지지 않도록 주의할 것 권고 • 허리벨트 등에 클리핑 하거나 천장에 연결할 것을 권고
가상현실 멀미	멀미를 느낄 경우 다음의 사항 실천 권고 • 눈을 감는다 • 시야각을 낮추는 것으로 변경 • 회전하는 동안 한곳에 시선 집중 • 프레임레이트 높임
사용연령	• Sony PSVR: 12세 미만 사용금지 • 삼성 기어 VR, 구글 데이드림뷰: 13세 미만 어린이 사용 금지 • 오큘러스 리프트: 14세 미만 사용금지
하드웨어	• 얼굴 접촉부위, 헤드 스트랩, 헤드폰, 컨트롤러: 사용후 바로 세척하여 (항균 물티슈 등) 말려서 보관 • 렌즈: 안경닦는 수건 활용 세척
기타	① 좌식 플레이 오큘러스 리프트,, 삼성 기어VR, Sony PSVR, 삼성 오디세이: 앉아서 플레이 할 것을 권고 ② 애완동물, 아동 주의 오큘러스 리프트, HTC Vive, Sony PSVR, 삼성 오디세이: 이용하는 동안 애완동물, 아동이 근처에 올 수 있다는 것을 주의시킴

[표 22] 가정용 VR 게임 이용 시

② **체험장용 VR 게임 이용 시**

	내용
PC, 콘솔, 모니터	• PC, 콘솔, 모니터와 충돌 가능성 확인 • 모니터와 거리 확인
HMD 이용	• HMD 착용후 시야 확인 • HMD 머리에 밀착 확인 • HMD 라인 무게, 길이: 천장에 라인이 연결되어 있는지 확인
컨트롤러 이용	• 컨트롤러 스트랩 활용하여 이용하는 것 권고
어린이 이용	• 보호자와 스태프의 관리 감독하에 이용하도록 권고
체험공간	• 고정벽, 안전펜스, 바닥선 등을 이용하여 체험 공간 구분함 • 최소 3mX4m 정도의 공간이 확보되어야 함
대기공간	• 2인이상 그룹단위로 체험장을 방문할 경우 이용자와 동행자가 함께 대기할 공간 필요 • 이용자 동선에 방해되지 않는 동선에서 대기공간 마련
편의 및 안전시설	• 이용 시 개인 물품을 주의하여 보관: 분실시 개인 책임인 경우가 많음 • 소화기, 손전등, 안전대피도, 비상구와 같은 안전 시설이 제대로 갖춰져 있는지 확인
위생관련	• 1회용 마스크 사용하여 이용 • HMD, 컨트롤러 청결 상태 확인 후 이용

[표 23] 체험장용 VR 게임 이용 시

라. 휴먼팩터에 따른 VR · AR 이용 및 콘텐츠 제작 가이드라인

한국교육학술정보원에서는 2018년 교육 현장에서 VR · AR 기술을 적용하기 위해 사용성과 효과성에 영향을 미치는 휴먼팩터 분석을 통해 교육 현장에 적합한 가이드라인을 도출하여 실제 교수 과정에 이를 적용, 사용 목적을 달성할 수 있도록 유도하고 있다. 이 연구에서는 이용 전, 이용 중, 이용 후로 휴먼팩터에 따른 가이드라인을 도출하였고, 교육 시 관리자를 위한 체크 리스트를 포함하고 있으며, 이에 따른 콘텐츠 개발 가이드라인을 도출하여 연령과 목적에 부합하는 안전한 콘텐츠 개발을 도모한다.

① 이용자 안전 가이드 라인

	내용
이용기기	• 이용연령, 착용방법, 조작방식 확인 • 기기의 크기와 무게가 이용자의 신체적 특징에 적절한지 확인 • VR 기기 충분히 충전 • 13세 미만의 어린이들의 이용 자제 권고
활용공간	• 앉아서 이용하는 방식인 경우: 좌석기준 양팔 반경정도 공간 확보 • 서서하는 방식인 경우: 이용자 중심으로 최소 2m 공간 확보 • 연결선이 있는 경우 천정이나 벽면 통해 연결 • HMD 착용후 다른 사람의 관리감독 상태에서 활용하는 것 권고
위생	• VR 기기와 얼굴이 직접 닿지 않도록 VR 마스크 활용할 것 권고 • VR 기기를 소독티슈나 제품으로 닦아줄 것 권고
건강상태	• 이용전 건강상태 확인 • 이용자의 건강상태를 자가진단하고 내용에 대한 사전동의를 받는 것 권고 • 아용자가 원하는 시점에 콘텐츠를 중단하는 방법에 대해 사전에 고지할 것 권고

[표 24] 이용자 안전 가이드 라인 - 이용전

	내용
건강 및 인지상태 점검	• VR 콘텐츠 이용자가 멀미, 어지러움증, 두통 등의 신체적 이상을 호소할 경우 즉시 중단하고 휴식을 취할 것 권고 • VR 기기에서 과도한 열이 발생하여 땀이 차거나 눈이 따끔거릴 경우 즉시 중단하고 휴식을 취할 것 권고

[표 25] 이용자 안전 가이드 라인 - 이용중

	내용
이용상태 점검	• 초보자인 경우 쉬운 난이도에서 점차 높은 수준으로 사용하도록 권고 • VR 콘텐츠는 휴식 없이 연속적으로 20분 이상 사용하지 않도록하고 20분 마다 휴식을 취하도록 지도함 • 이용자의 VR 기기 화면을 모니터링하여 이용자가 핵심 내용을 보거나 경험하는지 확인할 것 권고
기기상태 확인	• VR 관리도구를 활용하여 VR 기기의 실행이나 콘텐츠를 제어함 • 콘텐츠 내에 과부하에 의한 발열에 대한 정보 및 경고문구가 제시되는 경우 즉시 사용을 중지함

[표 26] 이용자 안전 가이드 라인 - 이용중

	내용
건강 및 인지상태 점검	• 이용 후 건강상태 확인을 위한 체크리스트 작성 • VR 콘텐츠 이용자가 신체적 이상을 호소할 경우 휴식을 취할 수 있도록 조치함 • 가상과 현실 간의 인식의 혼란이 없도록 관리자가 주지시킴
기기상태 확인	• 파손여부 확인 • 소프트웨어 오류 확인 • 기기 본체 및 패드 세척 • 컴퓨터 연결선 정리

[표 27] 이용자 안전 가이드 라인 - 이용후

② 콘텐츠 개발 가이드라인

	내용
연령 성별	• 콘텐츠 등급: 심의 연령 기준준수 • 기기의 크기 및 무게: 이용 시간이 증가하면서 신체 피로도 유발고려 • 이용 시간: 장시간 이용에 따른 시력저하 및 멀미 예방을 위해 적절한 이용 시간 고려
사용자 감각정보 일체화	• 시야각, 해상도, 재생빈도가 적절한지 확인 권고 • 디스플레의 발광과 해상도가 국제규격 ISO/DIS 9241-391 요구사항 및 적합성 테스트에 부합하는지 확인 권고 • 사용된 소리 이용자에게 의도한 의미를 전달하는지 확인할 것 권고

[표 28] 콘텐츠 개발 가이드라인

	내용
상태 상황 식별	• 실제와 HMD용 VR 콘텐츠 내에서의 움직임이 다른 경우 멀미유발 가능 • 디스플레이의 높은 발광량과 빠른 색상 교차는 광과민성 발작 증상 • 유발 가능 • 콘텐츠 영상 품질이 낮을 경우 이용자의 몰입을 저해하고 피로도를 높이는 요소가 됨
편의성	• HMD 착용 중 콘텐츠 검색, 구매 과정은 PC/모바일 보다 시야가 제한된다는 것을 알아야함
인터페이스 디자인	• 제작자는 VR용 HMD 기기의 조작방식을 숙지하고 콘텐츠 조작을 설계해야 함 • 소리를 통해 사물의 움직임이나 위치를 인지할 수 있어야 함
컨트롤러	• 이용자의 콘트롤러 조작 적응 숙련도가 저마다 다르므로 설정을 통해 자신에게 맞출 수 있어야 함 • 콘트롤러와 콘텐츠의 연결 손실에 대응하여 이용자가 어떤 행동도 취할 수 없는 상황이 발생하지 않아야 함

[표 29] 콘텐츠 개발 가이드라인

마. VR 콘텐츠 제작 지침에 대한 가이드라인

한국전자통신연구원에서는 2018년 멀미 저감을 위한 머리 장착형 영상장치 기반 가상현실 콘텐츠 제작 지침에 대한 가이드라인을 제시했다. 본 가이드라인에서는 VR 콘텐츠 영상 생성 및 콘텐츠 제작 관점에서 멀미 제어에 필요한 요소를 추출하여 이를 최소화할 수 있는 기준을 제시하고 있다.

① 콘텐츠 제작 지침

	내용
지연시간 최적화	• 가상현실 콘텐츠에서 지연시가는 가능한 20ms 이하로 유지하는 것 권고
프레임률 최적화	• VR 영상기반콘텐츠는 초당 30 프레임 이상 • VR 그래픽 기반 콘텐츠는 초당 90프레임 이상
가상 카메라 움직임 최적화	• 가상 카메라의 가속 움직임(전후/좌우/, 줌, 회전)은 가능한 빈도수를 낮도록하고, 일정한 속도로 움직이는 것 권고
리그 구성	• 360도 VR 실사 콘텐츠를 제작할 때, 카메라 간 간격을 무시차 지점(No-parallax point)에 근접하도록 리그 시스템 구성하는 것 권고
스티칭 최적화	• VR 콘텐츠 촬영 및 후반작업 시 스티칭 오류를 최소화하기 위해 카메라 배치, 렌즈 왜곡, 카메라 싱크 등 조정하는 것 권고
시야각 조정	• 그래픽으로 만들어진 VR 영역의 가상 카매라 시야각(cFOV)과 HMD에 의해 가시화되는 디스플레이 시야각(dFOV) 일치하는 것 권고
감각 불일치 동기화	• VR의 시각적 경험과 체감효과를 동기화시키는 콘텐츠 제작 권고 • 인터랙션 콘텐츠는 상황예측이 가능한 요소를 삽입할 것 권고
모션플랫폼 동기화	• 모션플랫폼 탑승 사용자의 신체움직임과 VR 영상에서 제공되는 시각적 경험간의 동기화를 위해 VR 입력과 VR 모션 출력 간의 전달 지연 시간을 150ms이하로 권고
사용자 인터페이스 배치	• 사용자 인터페이스를 사용하는 경우 3차원 객체화시켜 3차원 공간상에 배치하는 것을 권고 • 카메라 움직임에 따라 화면성에서 움직이면 멀미유발 가능성 높음
사운드 기준	• 사용자의 머리가 움직이는 방향에 맞추어 사운드의 위치 조정할 것 권고

[표 30] 콘텐츠 제작 지침

07

결론(시사점)

7. 결론(시사점)

과거 가상현실은 게임 분야에서 가장 큰 두각을 드러냈다. 하지만, 정보통신기획평가원 보고서에 따르면 오는 2025년엔 가상현실 주요 응용 분야 중 의료분야의 시장 규모가 51억 달러로 관련 분야 중 가장 큰 시장 규모로 성장할 것으로 예측된다. 이처럼 가상현실은 이제 게임 분야를 넘어 다양한 산업에서 사용되고 있으며 큰 두각을 드러내고 있다. 특히 코로나19로 인해 비대면 문화가 확산되면서 다양한 산업군에서 가상현실을 이용한 서비스가 등장하고 있다.

최근 게임이나 업무, 여가 등 다양한 분야에 3차원 가상·증강현실이 적용될 가능성이 커지면서 IDC에 따르면 전 세계 가상·증강현실 기기 출하량은 작년 860만대 규모에서 2025년 5290만대로 6배 성장할 것으로 예상된다.[79] 이처럼 가상현실은 일찍부터 미래를 위한 기술로 여겨졌고, 미국은 이미 가상현실을 '10대 미래 핵심전략 기술'로 지정하기도 했으며, 우리나라의 미래창조과학부도 VR산업에 4,000억 원 이상을 투자할 것이라고 밝히기도 했다. 최근 해외에서는 가상현실 기술을 개발하는 다양한 스타트업이 등장하고 있다. 이에 발맞춰 국내에서도 스타트업 육성을 위한 다양한 투자 계획과 정책적 지원을 마련하고 이를 통해 가상현실 기술을 선도할 수 있는 스타트업의 육성을 진행해야 할 것이다.

또한, 가상현실의 기술의 발전과 더불어 사용자 보호, 가상범죄, 부상, 개인정보 등 우리가 아직 가상현실의 상용화를 앞두고 해결해야 할 문제점이 많다. 일례로, 최근 우리는 고인이 되어버린 가족을 가상현실을 이용하여 복원하고 이를 통해 심정적 위안을 유족들에게 전하기도했다. 그렇다면 이러한 사례는 정말로 디지털 기술의 '선한' 사례로만 볼 수 있을까? 한편으로는 이러한 기술이 윤리적인 문제를 야기할 수 있다는 우려도 나오고 있다. 고인을 되살리는 가상현실 기술이 상업적으로 활용될 가능성과 '잊힐 권리'에 대한 성찰 없이 고인의 초상권을 복원하는 것에 대한 문제를 제기하기도 하는 것이다.[80]

이처럼 가상세계가 정교해지고 실재감이 높아질수록 그 안에 어떤 세계관과 상호작용을 담을 것인지 우리는 깊게 고민해야 한다. 만약 이러한 고민 없이 기술의 발전만을 추구한다면 향후 개발된 가상세계에서는 무질서만이 존재할 수 있을 것이다. 따라서 우리나라도 가상현실로 구축된 가상세계에 적용되어야 하는 규칙과 규범을 개발하여야 할 것이다.

---

79) "3년간 6배 성장할 시장" 애플도 소니도 노리는 VR 헤드셋 전쟁…삼성전자만 낙오?, 조선일보, 2022.02.23

80) 죽은 아내가 되돌아왔다, 가상현실로…VR은 선한 기술일까, 머니투데이, 2021.07.28

8. 참고문헌

[1] VR/AR, 비현실의 현실화, 삼성증권, 2019.07.12

[2] 가상/증강현실 디바이스 기술 동향, TTA JOURNAL, 2019.09

[3] VR·AR 디바이스 제작·이용 가이드라인 2020, 정보통신산업진흥원

[4] 대한민국 게임백서, 한국콘텐츠진흥원, 2020

[5] 가상현실(VR)의 의료분야 적용 동향, 전황수, ETRI, 2019.04

[6] 시뮬레이션으로 실제 도로 미리 주행, 전찬민, 공학저널, 2020.05.22

[7] 가상 현실 시장, 연구개발특구진흥재단, 2021.03

[8] 5G시대, 실감산업 육성 방안 연구, SPRI, 2020.01

[9] 위지윅스튜디오, 한국IR협의회, 2021.07.29

[10] 의료분야에서의 가상현실(Virtual Reality) 산업 현황 및 동향, 박혜경, 융합 FOCUS, 2019.07.29

[11] 헬스케어용 증강현실 및 가상현실 시장, 연구개발특구진흥재단, 2020.02

[12] 가상화 및 3D렌더링 소프트웨어 시장, 연구개발특구진흥재단, 2021.05

초판 1쇄 인쇄 2017년 10월 7일
초판 1쇄 발행 2017년 10월 23일
개정판 발행 2019년 5월 27일
개정2판 발행 2020년 6월 15일
개정3판 발행 2022년 3월 21일

편저 ㈜비피기술거래
펴낸곳 비티타임즈
발행자번호 959406
주소 전북 전주시 서신동 832번지 4층
대표전화 063 277 3557
팩스 063 277 3558
이메일 bpj3558@naver.com
ISBN 979-11-6345-347-5(93550)
가격 66,000원

이 도서의 국립중앙도서관 출판예정도서목록(CIP)은 서지정보유통지원시스템 홈페이지(http://seoji.nl.go.kr)와국가자료공동목록시스템(http://www.nl.go.kr/kolisnet)에서 이용하실 수 있습니다.